WHERE ARE THE CHILDREN?
healing the legacy of the residential schools

QUE SONT LES ENFANTS DEVENUS?
l'expérience des pensionnats autochtones

Aboriginal children in class at the Roman Catholic-run Fort George Catholic Indian Residential School, Fort George, Quebec, 1939.
Archives Deschâtelets

Enfants autochtones en salle de classe au pensionnat indien catholique de Fort George (Québec), 1939.
Archives Deschâtelets

Where are the Children?
Healing the Legacy of the Residential Schools

This exhibition is the result of a partnership between the National Archives of Canada, the Aboriginal Healing Foundation, and the Legacy of Hope Foundation.

The partners wish to acknowledge the following institutions and individuals who have contributed to the contents of this exhibition:

- Archives Deschâtelets
- Archives of Ontario
- Canadian Museum of Civilization
- The Anglican Church of Canada,
  The General Synod Archives
- Glenbow Archives
- National Library of Canada
- The Presbyterian Church in Canada Archives
- Provincial Archives of Manitoba
- Jeff Thomas
- United Church of Canada,
  Victoria University Archives
- Yukon Archives

Que sont les enfants devenus?
L'expérience des pensionnats autochtones

Cette exposition est le fruit d'un partenariat entre les Archives nationales du Canada, la Fondation autochtone de guérison et la Fondation autochtone de l'espoir.

Les partenaires tiennent à remercier les institutions et les personnes suivantes, qui ont fourni du contenu pour cette exposition:

- Archives Deschâtelets
- Archives publiques de l'Ontario
- Musée canadien des civilisations
- Église anglicane du Canada,
  Archives du synode général
- Archives du Glenbow Museum
- Bibliothèque nationale du Canada
- Archives de l'Église presbytérienne au Canada
- Archives provinciales du Manitoba
- Jeff Thomas
- Église unie du Canada,
  Archives de l'Université Victoria
- Archives du Yukon

© 2003 Legacy of Hope Foundation
75 Albert Street, Suite 801
Ottawa, Ontario, K1P 5E7
ISBN 0-9733520-0-0

© 2003 Fondation autochtone de l'espoir
75 rue Albert, Suite 801
Ottawa (Ontario) K1P 5E7
ISBN 0-9733520-0-0

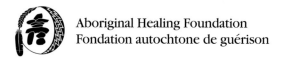

Aboriginal Healing Foundation
Fondation autochtone de guérison

Legacy of Hope Foundation
Fondation autochtone de l'espoir

National Archives of Canada and
National Library of Canada

Archives nationales du Canada et
Bibliothèque nationale du Canada

From the mid-19th century to the late 20th century, there were over 150 Aboriginal residential schools operating across Canada. This map, compiled by the Aboriginal Healing Foundation, illustrates their locations.

De la deuxième moitié du XIXe siècle à la fin du XXe siècle, il y a eu plus de 150 pensionnats autochtones au Canada. Leur emplacement est indiqué sur cette carte, établie par la Fondation autochtone de guérison.

A Message from
RICHARD KISTABISH
Chairman, Legacy of Hope Foundation

Message du
RICHARD KISTABISH
Président, Fondation autochtone de l'espoir

In July of 1998, Aboriginal people who experienced life in a residential school gathered in Squamish, B.C. for an important first step in the healing process—the creation of the Aboriginal Healing Foundation (AHF). Among those Aboriginal people was a woman who believed so deeply in this healing process that she contributed $100 of her own money to help the AHF get started. She trusted the process, she said, and hoped that we were seeing the beginning of a new chapter full of hope.

I was deeply moved by her gesture. Five years later, our hearts and minds are fully engaged with the process of writing that new chapter.

The Legacy of Hope Foundation was established to address the long-term implications of the damage done to Aboriginal children and their families by many of the residential schools. The psychological wounds run deep and have infected new generations. Healing is a gradual process that will demand time and patience.

A primary objective of our work is to promote awareness among the Canadian public about residential schools and try to help them to understand the ripple effect those schools have had on Aboriginal life. But equally important, we want to bring about reconciliation between generations of Aboriginal people, and between Aboriginal people and non-Aboriginal Canadians.

Everyone who belongs to the First Nations, Inuit and Metis communities have been affected by the residential school experience. Only through understanding the issues can we undertake this healing journey together.

In our first full year we raised $30,000. We concentrated our resources on developing the exhibition called "*Where Are The Children? Healing the Legacy of the Residential Schools.*" in partnership with the Aboriginal Healing Foundation and the National Library and Archives of Canada. It was presented at the National Archives in Ottawa from June of 2002 to November of 2003, and is touring the country until the end of 2005.

The importance of the exhibition was brought into sharp focus in 2001, when Aboriginal youth at the AHF Youth Advisory meeting in Edmonton expressed a lack of knowledge of the residential school history. They felt that awareness of this chapter in their history should be the central factor in healing and reconciliation.

I would like to thank everyone who helped to make the exhibition a reality especially Jeff Thomas, the curator of the exhibition, for his vision and sensitivity in creating this project.

En juillet 1998, des Autochtones ayant fréquenté un pensionnat se sont rassemblés à Squamish, C.-B., pour marquer une première étape importante dans ce cheminement de guérison—l'établissement de la Fondation autochtone de guérison (FADG). Parmi ce groupe de personnes autochtones, une femme profondément convaincue du bien-fondé de cette démarche de guérison a déposé cent dollars de sa poche pour aider la Fondation à démarrer. Selon ses propos, la démarche de guérison mise de l'avant par la Fondation lui inspirait confiance et présageait pour nous tous le début d'un nouveau chapitre rempli d'espoir.

J'ai été profondément ému par son geste. Cinq ans plus tard, nous sommes entièrement, corps et âme, plongés dans la démarche d'élaboration de ce nouveau chapitre.

La Fondation autochtone de l'espoir a été mise sur pied pour éliminer les répercussions de longue durée des graves préjudices causés aux enfants et aux familles autochtones par de nombreux pensionnats. Les souffrances psychologiques ont profondément marqué, perturbé et infecté les nouvelles générations. La guérison sera donc une démarche progressive qui exigera du temps et de la patience.

Dans le cadre des efforts que nous voulons mener, nous nous proposons comme objectif primaire de sensibiliser le public canadien à la réalité des pensionnats et de l'aider à mieux comprendre l'effet cascade ou les retombées que ces pensionnats ont eu sur la vie autochtone. Tout aussi important, nous voulons amener la réconciliation d'une part entre des générations d'Autochtones et d'autre part entre les autochtones et non autochtones au Canada.

Toutes les personnes qui font partie des collectivités des Premières Nations, des collectivités métisses et inuites ont été touchées par cette expérience vécue dans les pensionnats. Ce n'est qu'en comprenant bien tous les aspects ou toutes les dimensions des problèmes que nous pourrons entreprendre ensemble ce cheminement de guérison.

Au cours de notre première année, nous avons recueilli 30 000 dollars. Nous avons consacré ces ressources à la mise sur pied d'une exposition intitulée "Where Are The Children? Healing the Legacy of the Residential Schools" (« Que sont les enfants devenus? L'expérience des pensionnats autochtones ») en partenariat avec la Fondation autochtone de guérison et la Bibliothèque et Archives nationales du Canada. Elle a été présentée à Ottawa entre juin 2002 et novembre 2003 aux Archives nationales; de plus, à titre d'exposition itinérante, elle sera présentée à travers l'ensemble du pays jusqu'à la fin de 2005.

L'importance de cette exposition est tout particulièrement ressortie en 2001 au moment de la rencontre du comité consultatif des jeunes de la FADG à Edmonton alors que les jeunes autochtones ont fait part de leur manque de connaissances des faits historiques liés aux pensionnats. De l'avis de ces jeunes, fournir de l'information sur ce chapitre de notre histoire constituait un élément central, fondamental, de la démarche de guérison et de réconciliation. J'aimerais exprimer ma reconnaissance à l'égard de toutes les personnes qui ont contribué à réaliser cette exposition, particulièrement envers Jeff Thomas, le conservateur de cette exposition, que nous remercions pour sa vision et sa sensibilité de permettre à ce projet de se matérialiser.

Aboriginal students attending the Metlakatla Indian Residential School, Metlakatla, British Columbia, date unknown.
Photographer:
William James Topley
National Archives
of Canada, C-015037

Élèves autochtones au pensionnat indien de Metlakatla (Colombie-Britannique), date inconnue.
Photographe :
William James Topley
Archives nationales
du Canada, C-015037

A Message from
GEORGES ERASMUS
Chairman, Aboriginal Healing Foundation

Message du
GEORGES ERASMUS
Président, Fondation autochtone de guérison

Having been asked to provide some introductory words for *Where are the Children? – Healing the Legacy of the Residential Schools,* I reflected upon the meaning of such an undertaking. What did an exhibition of this type represent?

The project was launched at the National Archives of Canada. Dedicated to the service of the nation's identity, the Archives gathers what has been as an endowment to what will be. Because no legacy is enriched by counterfeit, this project represented an attempt to tell the true and painful story of a national institution committed, not to the preservation of a people, but to their forced assimilation.

Where are the Children? acknowledges that the era of silence is over. The resilience of Aboriginal people is evident in efforts to address the effects of unresolved trauma, thereby conferring upon future generations a renewed legacy of peace, strength, and well-being.

The exhibition has meant, and will mean, many things to many people.

Those who are Survivors of Indian residential school trauma will have painful recollections. Some have begun their healing, others are yet to begin. I acknowledge their strength—their determination to face the truth and to end the cycle of abuse. People of courage are the wealth of our nations. May this exhibit contribute to their healing.

Some will for the first time see what Survivors of residential school abuse have never forgotten: the face of a child whose identity is a number, whose culture is forbidden, and whose future is an institutional experiment. May this exhibit provide a greater understanding.

Meanwhile, the healing will continue. We will look beyond mere survival, toward the renewal of nations and the reconciliation of peoples.

A charity, "The Legacy of Hope Foundation," has been established to carry forward the work begun by the Aboriginal Healing Foundation. The Legacy of Hope Foundation will focus upon healing, public awareness and education. The healing has just begun.

I thank the Survivors of residential school abuse who today are enriching both the present and future state of Aboriginal communities.

I thank Jeff Thomas for his sensitive photographic selection and curation.

For their support, I thank also the National Archives of Canada and National Library of Canada, Health Canada, and the Office of Indian Residential Schools Resolution of Canada.

Lorsque l'on m'a demandé de rédiger une brève introduction pour l'exposition *Que sont les enfants devenus? – L'expérience des pensionnats autochtones,* j'ai tout d'abord réfléchi à la signification d'une telle initiative. Quel est le but d'une telle exposition, que cherche-t-elle à représenter?

Ce projet a été lancé par les Archives nationales du Canada. En se dédiant au service de l'identité canadienne, les Archives rassemblent les témoignages historiques de la nation et les conservent pour les générations futures. Aucun héritage ne peut être enrichi par des contrefaçons, et ce projet était une tentative, celle de raconter l'histoire véridique et douloureuse d'une institution engagée, non pas à protéger des peuples, mais à imposer leur assimilation.

Que sont les enfants devenus? Confirme que le silence est aujourd'hui brisé. Les efforts que les peuples autochtones ont consacrés à s'attaquer aux séquelles des traumatismes qui les affectent souligne leur résistance. Ces efforts servent aujourd'hui à transmettre aux nouvelles générations un nouvel héritage fait de paix, de force et de bien-être.

Cette exposition a eu, et continuera à avoir, des significations diverses pour de nombreuses personnes.

Pour ceux et celles qui ont survécu aux traumatismes qu'ils ont subi dans les pensionnats, cette exposition fera surgir des souvenirs douloureux. Certains ont amorcé un cheminement de guérison, d'autres ne sont encore pas prêts. Je mets leur force à l'honneur—leur détermination à confronter la vérité et à briser le cycle de la violence. Les gens du courage sont la richesse de nos nations. Je souhaite que cette exposition contribue à leur guérison.

Certaines personnes constateront pour la première fois ce que les Survivants des pensionnats n'ont jamais oublié. Le visage d'un enfant dont l'identité est un numéro, dont la culture est interdite, et dont l'avenir se borne à une expérience dans le laboratoire d'une institution. Je souhaite que cette exposition apporte une meilleure compréhension de leur vécu.

En attendant, la guérison continue. Nous porterons nos regards au-delà des actes de simple survie, vers un nouvel horizon où se dessine le renouveau des nations et la réconciliation des peuples.

Un organisme de charité, la « Fondation autochtone de l'espoir » a été créée pour continuer le travail que la Fondation autochtone de guérison a amorcé. La Fondation autochtone de l'espoir concentrera ses efforts sur la guérison, la sensibilisation et l'éducation du public. La guérison est en marche.

Je remercie les Survivants des pensionnats, qui sont une source de richesse pour les communautés autochtones d'aujourd'hui et de demain.

Je remercie Jeff Thomas, conservateur de cette exposition, qui a assumé avec sensitivité tout le travail de recherche et de sélection des photographies.

Je remercie aussi les Archives nationales du Canada et Bibliothèque nationale du Canada, le ministère de la Santé du Canada et le Bureau du Canada sur le règlement des questions des pensionnats autochtones, pour le soutien qu'ils ont accordé à cette exposition.

Seven Indian children holding letters that spell "Goodbye", at Fort Simpson Indian Residential School, Fort Simpson, N.W.T., ca. 1922.
J.F. Moran,
National Archives of
Canada, PA102575

Sept enfants indiens tiennent des lettres formant le mot "Goodbye" (au revoir), au pensionnat pour Indiens de Fort Simpson, T.N.) ca. 1922.
J.F. Moran,
Archives nationales
du Canada, PA102575

A Message from IAN WILSON
National Archivist of Canada

Message du IAN WILSON
Archiviste national du Canada

As I accompanied Her Excellency the Right Honourable Adrienne Clarkson, Governor General of Canada, His Excellency John Ralston Saul, and Assembly of First Nations National Chief Matthew Coon Come through the exhibition *Where are the Children? Healing the Legacy of the Residential Schools* which opened June 17, 2002, at the National Archives of Canada, the considerable impact which the residential schools issue has had on archival institutions across the country became more evident. This is especially true for the archives of the churches which ran these schools on behalf of the federal government and for the National Archives as the repository of federal government records. Documents in the National Archives are essential to our understanding of this complex chapter in Canadian history.

When the Aboriginal Healing Foundation approached the National Archives about creating an exhibition on residential schools, the Archives recognized this as an important opportunity to work in partnership with Aboriginal peoples. *Where are the Children? Healing the Legacy of the Residential Schools*, which includes both an Ottawa exhibition and a travelling exhibition, is only one component of our partnership with the Foundation. The involvement of the Archives on this catalogue and a proposed collaboration with the Aboriginal Healing Foundation on a future Web-based exhibition is further evidence of our commitment.

This exhibition allows the National Archives to showcase for all who view it, and especially for members of the First Nations, Inuit, and Métis communities in Canada, the tremendous

Lorsque j'ai accompagné Son Excellence la très honorable Adrienne Clarkson, Gouverneure générale du Canada, et Son Excellence John Ralston Saul, ainsi que le chef national de l'Assemblée des Premières Nations, Matthew Coon Come, à l'exposition *Que sont les enfants devenus? L'expérience des pensionnats autochtones*, inaugurée le 17 juin 2002 aux Archives nationales du Canada, l'impact considérable que la question des pensionnats autochtones avait eu sur les centres d'archives du Canada est devenu plus évident. Les services d'archives des Églises qui dirigeaient ces écoles pour le gouvernement fédéral, et les Archives nationales en tant que dépositaires des documents fédéraux, ont été particulièrement touchés. Les documents conservés aux Archives nationales sont essentiels à la compréhension de ce chapitre complexe de l'histoire du Canada.

Quand la Fondation autochtone de guérison a proposé aux Archives nationales de monter une exposition sur les pensionnats autochtones, les Archives ont vu là une occasion importante de travailler en partenariat avec les Autochtones. *Que sont les enfants devenus? L'expérience des pensionnats autochtones*, qui comprend une exposition à Ottawa et une exposition itinérante, n'est qu'un élément de ce partenariat. La participation des Archives au présent catalogue et leur collaboration éventuelle à une exposition virtuelle de la Fondation autochtone de guérison témoignent aussi de cet engagement.

Cette exposition permet aux Archives nationales de mettre en relief, pour tous les visiteurs et, en particulier, les membres des collectivités inuites, métisses et des Premières

Photographer/
Photographe :
Earl Havlin, 2003

power of the archival record. The collections of the National Archives of Canada hold a wealth of information about Aboriginal peoples. This exhibition is the most recent manifestation of our continuing dedication to document the history of Canada's First Peoples.

Established in 1872, the National Archives of Canada is one of the nation's oldest cultural agencies. Its legislated mandate, set out in the *National Archives of Canada Act* (1987), is three-fold: to acquire, preserve and make accessible public and private records of national significance; to serve as the permanent repository of the historical records of the federal government; and to participate in and support the archival community.

Yet, in looking beyond its mandate, what is the National Archives and what place has it in our society? It is a storehouse of memories—a place where records produced by both the federal government and individual Canadians, in every imaginable format, from paper to electronic documents, from film, video and sound record-

Nations du Canada, l'énorme pouvoir narrateur des documents d'archives. Les collections des Archives nationales du Canada regorgent d'information sur les Autochtones. Cette exposition est la plus récente manifestation de notre volonté constante de réunir des renseignements sur l'histoire des premiers peuples du Canada.

Fondées en 1872, les Archives nationales du Canada sont un des plus anciens organismes culturels de notre pays. Elles ont un triple mandat prescrit par la *Loi sur les Archives nationales du Canada* (1987) : acquérir, conserver et rendre accessibles les documents publics et privés d'importance nationale, servir de dépositaire permanent pour les documents historiques du gouvernement fédéral, et collaborer avec les milieux des archives et les appuyer.

Toutefois, au-delà de leur mandat, que sont les Archives nationales et quelle place occupent-elles dans notre société? Elles sont un dépôt de souvenirs—un lieu où sont conservés, classés et décrits les documents produits par le gouvernement fédéral et les Canadiens sous toute forme

ings to maps and architectural plans, from photographs to documentary art are conserved, arranged and described. The quest for acquisitions is ongoing and wide in scope, in an effort to document a range of social, cultural, economic and political experiences of national significance, witnessed from various perspectives. The stories told by these records define the institution and its value to Canadians. The National Archives, in partnership with archives throughout the country, preserves the nation's recorded memory and makes these records accessible to all Canadians. In doing so, the National Archives contributes to the protection of the collective and individual rights of every Canadian and enhances our understanding of the country and its evolution.

Records relating to Aboriginal peoples have been a feature of the collections of the National Archives from its beginnings. These archives become larger and more diverse every year. All are treasures of our collective past and some are extremely rare and priceless, or of immense cultural significance. The watercolour miniature of 'Mary March' (Demasduit), acquired in 1977, is such a record. Painted in 1819, it is the only known life portrait of a Beothuk of Newfoundland. Of equal importance for researchers, though less dramatic, are the paper, electronic, audiovisual, cartographic and photographic documents which the National Archives receives from the federal government each year. Topical records such as those of the Royal Commission on Aboriginal Peoples which came into National Archives custody in 1997 and

imaginable, des documents papier aux documents électroniques, des films et des enregistrements vidéo et sonores aux cartes et aux plans d'architecture, des photographies aux pièces d'art documentaire. Le vaste réseau d'acquisitions des Archives leur permet de recueillir continuellement de l'information sur diverses expériences sociales, culturelles, économiques et politiques d'importance nationale, et de rendre compte du fait canadien selon différents points de vue. Ce sont les histoires racontées par les documents qui définissent les Archives et déterminent leur valeur pour les Canadiens. En partenariat avec les centres d'archives de toutes les régions du pays, les Archives nationales conservent la mémoire consignée du Canada et la rendent accessible à tous les Canadiens. Elles contribuent ainsi à la défense des droits collectifs et individuels des Canadiens, et permettent à tous de mieux comprendre notre pays et son évolution.

Depuis leur création, les Archives nationales acquièrent des documents sur les Autochtones. Chaque année, ces archives deviennent plus nombreuses et diversifiées. Toutes sont de véritables trésors de notre passé collectif, et certaines sont très rares et ont une grande valeur culturelle ou monétaire. L'aquarelle miniature de « Mary March » (Demasduit), acquise en 1977, en est un bel exemple. Exécutée en 1819, c'est le seul portrait réalisé sur le vif que l'on connaisse d'un membre du groupe amérindien des Béothuks de Terre-Neuve. Les documents électroniques, audiovisuels, cartographiques, photographiques et papier que les Archives nationales reçoivent du gouvernement fédéral tous les ans

acquisitions from the private sector such as that in 1990 of a selection of Inuit Broadcasting Corporation productions, do much to enrich our knowledge of Aboriginal peoples. In early 2002, the National Archives acquired the Peter Winkworth collection, which documents more than four centuries of Canadian history through works of art. The subjects in this superb collection include portraits of individual Aboriginal people, as well as scenes depicting the daily activities and customs of Inuit, Métis and First Nations peoples.

The current research needs and interests of Aboriginal peoples using the services of the National Archives are diverse. For much of the last decade, issues surrounding attendance at residential schools and the resolution of grievances resulting from that experience have sparked public controversy. Although the focus of the exhibition *Where are the Children? Healing the Legacy of the Residential Schools* is dialogue, healing and reconciliation through understanding, a further reality includes the ongoing lawsuits and demands for compensation which also form part of the residential schools legacy. The extensive records held by the National

sont peut-être moins impressionnants, mais ils sont tout aussi importants pour les chercheurs. Les documents thématiques, comme ceux de la Commission royale d'enquête sur les peuples autochtones, qui ont été confiés à la garde des Archives nationales en 1997, et les acquisitions provenant du secteur privé, comme la sélection de productions de l'*Inuit Broadcasting Corporation* obtenue en 1990, contribuent beaucoup à enrichir nos connaissances sur les peuples autochtones. Au début de 2002, les Archives nationales ont acquis la collection d'œuvres d'art de Peter Winkworth, qui illustrent plus de quatre siècles d'histoire du Canada. Cette superbe collection comprend des portraits d'Autochtones ainsi que des scènes représentant les activités quotidiennes et les coutumes des Inuits, des Métis et des membres des Premières Nations.

Les besoins et les intérêts en matière de recherche des clients autochtones des Archives nationales sont variés. Au cours des dix dernières années, les questions entourant la fréquentation des pensionnats autochtones et le règlement des plaintes résultant de cette expérience ont soulevé des controverses dans la population. Si

The Brass Band, St. Joseph's Indian Industrial School. *Department of Indian Affairs Annual Report, 1897. National Archives of Canada C-022477*

L'orchestre The Brass Band de l'école St. Joseph's Indian Industrial School. *Rapport annuel du ministère des Affaires indiennes, 1897 Archives nationales du Canada, C-022477*

THE BRASS BAND, ST. JOSEPH'S INDIAN INDUSTRIAL SCHOOL, HIGH RIVER, ALBERTA.

Métis family at Fort Chipewyan, Alberta, 1899.
Photographer unknown
Glenbow Archives,
NA-949-118

Famille métisse à Fort Chipewyan (Alberta), 1899.
Photographe inconnu
Archives du Glenbow Museum, NA-949-118

Archives pertaining to the residential schools play a pivotal role in research into these claims. For any given school, the records contain a variety of files, registers, architectural plans and reports documenting not only the administration of the school, but also the attendance and progress of individual Aboriginal students. Many of these records contain personal information and access is restricted.

Aboriginal peoples who use the National Archives today are also documenting claims or grievances other than those related to residential schools. The expansion of claims research over the past three decades has had an enormous impact on the institution, both in terms of the services offered and in the special products which the National Archives has created to respond to the particular needs of this community. Extensive microfilming has been done in order to ensure that Aboriginal peoples in all parts of the country have access to the records they require. In order to aid the research process, many indexes and other tools needed to identify these records are now available online through the National Archives Web site, www.archives.ca.

The search for ancestors is a part of the general society's growing interest in genealogy and family history. For the First Nations, this phenomenon was given added impetus, with the 1985 changes to the *Indian Act*, which allowed many people to gain or regain their Indian Status. Today, Aboriginal peoples make extensive use of the genealogical services offered by the National Archives. In many cases, sources of information such the National Census, which is relevant to all

l'exposition *Que sont les enfants devenus? L'expérience des pensionnats autochtones* cherche à faire comprendre ce chapitre de notre histoire et à favoriser le dialogue, la guérison et la réconciliation, il n'en demeure pas moins que les poursuites et les demandes d'indemnisation font aussi partie des répercussions de l'expérience des pensionnats autochtones. La vaste documentation détenue par les Archives au sujet des pensionnats autochtones est extrêmement importante pour la recherche concernant ces revendications. Pour un pensionnat donné, on peut s'attendre à trouver toutes sortes de dossiers, de registres, de plans d'architecture et de rapports qui nous renseignent non seulement sur son administration, mais également sur les élèves autochtones inscrits et sur leurs progrès. Beaucoup de ces documents renferment de l'information personnelle et l'accès y est restreint.

Bon nombre d'Autochtones utilisent aussi les Archives nationales pour étayer des revendications ou des plaintes qui ne sont pas liées aux pensionnats. L'expansion de la recherche concernant des revendications depuis une trentaine d'années a eu un impact énorme sur les Archives, et ce, tant sur le plan des services offerts que sur celui des produits spéciaux que l'institution a créés pour répondre aux besoins particuliers des Autochtones. Une grande quantité d'archives ont été microfilmées afin que les Autochtones de toutes les régions du pays aient accès aux documents demandés. Beaucoup d'index et d'autres instruments servant à faciliter la recherche de ces dossiers se trouvent sur le site Web des Archives nationales, à www.archives.ca.

La recherche sur les ancêtres est liée à l'intérêt grandissant de la société pour la généalogie et l'histoire des familles. Pour les Premières Nations, ce phénomène a pris de l'ampleur lorsque la *Loi sur les Indiens* a fait l'objet, en 1985, de modifications qui ont permis à beaucoup de gens d'obtenir ou de reprendre leur statut d'Indien. Aujourd'hui, les Autochtones utilisent beaucoup les services généalogiques offerts par les Archives nationales. Dans bien des cas, les sources d'information sur l'histoire de toutes les familles, comme les recensements nationaux, s'appliquent également à la recherche généalogique autochtone. Toutefois, d'autres dossiers concernent particulièrement les Inuits,

family historians, are equally useful in Aboriginal genealogical research. However, other records are uniquely of interest to Métis, Inuit and First Nations clients. In response to this large and growing demand, we are now developing an online Aboriginal genealogy guide, to be made available through the Canadian Genealogy Centre at www.genealogy.gc.ca.

With a wealth of records relevant both to Aboriginal researchers and to those in the larger community, the challenge for the National Archives is to continue to make our holdings easily accessible. Research methods have changed dramatically with the introduction of the Internet and the ability to digitize documents. The National Archives must keep pace with technology in its efforts to bring information to the increasing number of clients who are making more and varied requests of its services. Currently, the National Archives Web site provides access to a core of databases which give access to information on Canadian society as a whole, as well as to specialized tools directed to the needs of those engaged in research on Aboriginal issues.

In the past, exhibitions were accessible only for those who could visit the National Archives headquarters or one of the venues to which selected exhibitions travelled. Now, via

les Métis et les membres des Premières Nations. Pour répondre à la demande grandissante, nous préparons un guide généalogique en ligne pour les Autochtones, qui sera accessible sur le site du Centre canadien de généalogie, à www.genealogie.gc.ca.

Étant donné la quantité de documents utiles tant aux chercheurs autochtones qu'aux chercheurs non autochtones, les Archives nationales doivent relever le défi de continuer à rendre leurs fonds et collections facilement accessibles. Les méthodes de recherche ont changé radicalement avec l'introduction d'Internet et la numérisation de documents. Les Archives nationales doivent suivre l'évolution technologique pour fournir de l'information à un nombre croissant de clients dont les demandes de services sont très nombreuses et variées. À l'heure actuelle, le site Web des Archives nationales donne accès à un ensemble de bases de données qui renferment de l'information sur la société canadienne, et à des outils spécialisés pour répondre aux besoins des personnes qui font des recherches sur des questions liées aux Autochtones.

Auparavant, les expositions n'étaient accessibles qu'aux personnes pouvant se rendre à l'administration centrale des Archives ou aux

"Wanduta" (Red Arrow), Dakota First Nation, Oak Lake area, Manitoba, ca. 1913.
Photographer: H.W. Gould National Archives of Canada, PA-030027

« Wanduta » (Flèche rouge), Dakota de la région d'Oak Lake (Manitoba), v. 1913.
Photographe : H.W. Gould Archives nationales du Canada, PA-030027

View of the Qu'Appelle
Indian Industrial School
and Aboriginal tipis outside
the school fence, Lebret,
Saskatchewan, 1895.
*National Archives of
Canada, PA-182246*

Vue de l'école industrielle
indienne Qu'Appelle et
de tipis à l'extérieur de la
clôture de l'école, Lebret
(Saskatchewan), 1895.
*Archives nationales du
Canada, PA-182246*

the Internet, these exhibits can have a much wider audience. Of recent note is the exhibition *Treaty 8*, mounted at the National Archives in physical form in 1999 to mark the 100th anniversary of the original signing of this landmark agreement, which has since been made available in virtual form on the National Archives Web site. In another example, users can now consult the online exhibition *Pride and Dignity*, a selection of more than 60 photographic reproductions taken from the original 1996 exhibition *Aboriginal Portraits from the National Archives of Canada*. This exhibition is designed to help break down some of the common stereotypes surrounding Aboriginal society. In addition, in recent years, valuable documents such as the original manuscripts of Indian treaties have been loaned to cultural institutions working in partnership with Aboriginal organizations. In these ways, records which have great historical meaning to Aboriginal peoples can be viewed from within their own communities.

It is my hope that the present exhibition gives a glimpse of the richness of the collections of the National Archives and of the creative ways that archival records can be used to bring the history of Canada to us all. Archives allow history to be written in the first person—a personal connection to our history, our family, our community. As the record of our collective experience, they document the full story, our successes and failures, hopes and concerns over the course of time. Archives are evidence of what happened and are to be treasured for what they tell us about our historical experience. Remembrance of the past allows us to build together for the future.

sites des expositions itinérantes. Maintenant, grâce à Internet, nous pouvons rejoindre un plus grand auditoire. À titre d'exemple, l'exposition *Traité 8*, présentée en salle en 1999 aux Archives nationales pour marquer le 100e anniversaire de la signature de cet accord historique, est accessible depuis en format virtuel sur le site Web des Archives nationales. Les utilisateurs peuvent aussi consulter l'exposition en ligne *Fierté et dignité*, une sélection de plus de 60 reproductions photographiques tirées de l'exposition originale de 1996 intitulée *Portraits d'Autochtones aux Archives nationales du Canada*, conçue pour aider à éliminer quelques-uns des stéréotypes courants au sujet de la société autochtone. Ces dernières années, de précieux documents, comme les traités indiens manuscrits originaux, ont été prêtés à des institutions culturelles qui travaillent en partenariat avec des organisations autochtones. Ainsi, les Autochtones peuvent voir, dans les collectivités où ils habitent, les documents qui ont pour eux une grande importance historique.

J'espère que la présente exposition donne un aperçu de la richesse des collections des Archives nationales et des façons originales dont les documents peuvent être utilisés pour faire connaître à tous l'histoire du Canada. Les archives permettent d'écrire l'histoire à la première personne—établir un lien personnel avec notre histoire, notre famille, notre collectivité. À titre de mémoire de notre expérience collective, elles devraient tout raconter, tant nos succès et nos échecs que nos espoirs et nos préoccupations au fil des ans. Les archives sont les témoins des événements passés et elles doivent être appréciées pour ce qu'elles nous apprennent sur notre histoire. Le souvenir du passé nous permet de bâtir ensemble l'avenir.

WHERE ARE THE CHILDREN?
Healing the Legacy of the Residential Schools
by Jeff Thomas — Iroquois (Onondaga), Guest Curator

QUE SONT LES ENFANTS DEVENUS?
L'expérience des pensionnats autochtones
par Jeff Thomas — Iroquois (Onondaga), Conservateur invité

Photographs tell us many things about the past—what our ancestors looked like; how our cities or towns once appeared; or who was present at important political events. People look to their photographic archives for their history. Yet when Aboriginal people look for images of their ancestors, what their communities looked like, or important historical events in their lives, the records become scarce. We are more familiar with the stereotypes of the Indian chief and squaw, the Eskimo, or Half-breed, than engaging with them as real people. Quite often, Aboriginal people in photographs are not named nor is the specific time or place of the photograph given. Our historical photographs tell more about colonial society and their prejudices and stereotypes. The true stories of Aboriginal people are rarely seen or heard.

Les photographies nous disent beaucoup sur notre passé—à quoi ressemblaient nos ancêtres, comment sont apparues nos villes et nos villages ou qui prenaient part aux événements politiques importants. Les gens regardent leurs vieilles photos pour connaître leur histoire. Toutefois, quand les Autochtones cherchent des images de leurs ancêtres, des photos leur montrant à quoi ressemblaient leurs réserves ou qui leur rappellent des événements historiques importants qui ont eu lieu dans leurs collectivités,

Students of the Qu'Appelle Indian Industrial School with Principal, Father Joseph Hugonnard, staff and Grey Nuns, Lebret, Saskatchewan, 1884.
Photographer: Otto B. Buell National Archives of Canada, PA-118765

Des élèves de l'école industrielle indienne Qu'Appelle avec le directeur, le père Joseph Hugonnard, du personnel et des Sœurs grises, Lebret (Saskatchewan), 1884.
Photographe : Otto B. Buell Archives nationales du Canada, PA-118765

Photographs of the residential schools that many Aboriginal people were forced to attend have also been rarely seen. This exhibition, *Where are the Children? Healing the Legacy of the Residential Schools,* attempts to fill this gap. It brings together over one hundred photographs from nine public and church archives to portray the history of residential schools in Canada. The story begins in 1884 on the Canadian prairies and the Qu'Appelle Indian Industrial School in LeBret, Saskatchewan, and reaches into the 1960's at the Pukatawagan reserve residential school in Manitoba.

One objective of this exhibition is self-empowerment: it aims to give Aboriginal people the opportunity to begin to understand the residential school experience through viewing the photographs of the places to which Aboriginal children were taken. In a sense, the photographs offer an opportunity to come full circle and move on. Perhaps these historical photographs can contribute to the healing process for those who attended these schools, as well as their families and communities.

The Purpose Behind Residential Schools

According to the 1897 Sessional Report from the Indian Commissioner, the purpose of the residential school system was obvious:

This branch of the Indian service has ever been recognized as one of the most, if not perhaps the most, important features of the extensive system which is operating towards the civilization of our native races, having its

ils ne trouvent presque rien. Nous connaissons mieux les stéréotypes associés au chef indien et à la squaw, à l'Esquimau ou au Sang-Mêlé et oublions que ce sont de vraies personnes. Il arrive très souvent que les Autochtones que nous voyons sur des photos ne soient pas nommés ou que la date ou l'endroit où la photo a été prise ne soit pas spécifié. Nos photographies historiques nous révèlent plus de choses sur la société dominante et ses préjugés et stéréotypes. Les histoires des peuples autochtones sont rarement vues ou entendues.

Il est également rare que l'on voit des photographies montrant les pensionnats où de nombreux Autochtones ont été contraints d'aller. L'exposition *Que sont les enfants devenus? L'expérience des pensionnats autochtones* tente de combler cette lacune. Elle rassemble plus d'une centaine de photographies extraites de neuf archives publiques et religieuses, dépeignant l'histoire des pensionnats au Canada. L'histoire commence en 1884 dans les Prairies canadiennes et à l'École industrielle indienne de Qu'Appelle à LeBret, en Saskatchewan, et se poursuit jusque dans les années 60 au pensionnat de la réserve de Pukatawagan au Manitoba.

L'exposition est directement axée sur l'autonomisation. Elle veut permettre aux peuples autochtones de commencer à comprendre ce qu'était la vie dans les pensionnats en regardant des photographies des endroits où les enfants autochtones étaient emmenés. Ces photographies permettent en quelque sorte de revenir au point de départ et de progresser. Peut-être ces photographies historiques peuvent-elles contribuer au processus de guérison des Autochtones qui ont fréquenté ces pensionnats, ainsi que de leurs familles et collectivités.

L'objectif derrière les pensionnats

D'après le rapport parlementaire produit par le Commissaire des Indiens en 1897, l'objectif du système des pensionnats était évident :

[traduction libre] Ce secteur du service aux Indiens a toujours été considéré comme l'une des plus importantes caractéristiques, sinon peut-être la plus importante, du vaste système que l'on utilise pour civiliser nos races autoch-

beginning in small things—the first step being the establishment of reserve day-schools of limited scope and influence, the first forward step was the founding of boarding-schools both on and off the reserves. The beneficent effect of these becoming at once apparent, an impetus was thus given to the movement in the direction of Industrial training, which was at once entered upon the establishment of our earlier industrial institutions... until to-day the Dominion has had at its command a system which provides for its Indian wards a practical course of industrial training, fitting for useful citizenship the youth of a people who one generation past were practically unrestrained savages.

A. E. Forget, Indian Commissioner. Education. p. 291, 1897 Sessional Report

Yet Aboriginal children did not enter these schools uneducated: rather they were re-educated to fit a European model. For thousands of years, Aboriginal people had flourished on this continent, but the arrival of Europeans slowly began to erode the integrity and strength of Aboriginal cultures and Nations. This program of social engineering by the Canadian government can be characterized as ethnocide:

tones et qui a commencé par de petites choses —la première étant l'établissement d'écoles de jour dans les réserves, dont la portée et l'influence étaient limitées, première étape vers la création de pensionnats à l'intérieur comme à l'extérieur des réserves. Comme l'effet bénéfique de ces pensionnats n'a pas tardé à se faire sentir, il n'en fallait pas plus pour envisager la prestation d'une formation industrielle, qui a aussitôt commencé par l'établissement de nos toutes premières écoles industrielles [...] Depuis ce jour, le Dominion utilise un système qui offre aux jeunes Indiens dont il a la charge une formation industrielle permettant de civiliser les enfants d'un peuple dont la génération antérieure était pratiquement des sauvages au comportement outrancier.

A. E. Forget, Commissaire des Indiens. Éducation. p. 291, 1897, rapport parlementaire.

Les enfants autochtones n'ont cependant pas fait leur entrée aux pensionnats sans être instruits : on les avait plutôt rééduqués pour qu'ils adoptent un mode de vie européen. Pendant des milliers d'années, les Autochtones peuplèrent ce continent, mais l'arrivée des

"Looking Unto Jesus."
A class in penmanship at the Red Deer Indian Industrial School, Red Deer, Alberta, ca. 1914-1919.
United Church of Canada, Victoria University Archives, 93.049P/850N

« Looking Unto Jesus » (« Tourne-toi vers Jésus »).
Cours d'écriture à l'école industrielle indienne de Red Deer (Alberta), v. 1914-1919.
Église unie du Canada, Archives de l' Université Victoria, 93.049P/850N

...fitting for useful citizenship the youth of a people who one generation past were practically unrestrained savages.

A. E. FORGET, INDIAN COMMISSIONER. 1897

...permettant de civiliser les enfants d' un peuple dont la génération antérieure était pratiquement des sauvages au comportement outrancier.

A. E. FORGET, COMMISSAIRE DES INDIENS. 1897

Ethnocide refers to the deliberate attempt to eradicate the culture or way of life of a people. Ethnocide depends on the use of political power to force relatively powerless people to give up their CULTURE and is therefore characteristic of colonial or other situations where coercion can be applied. The term is sometimes used to refer to any process or policy that results in the disappearance of a people's culture.

The Dictionary of Anthropology,
Edited by Thomas Barfield

Although the residential school system had largely closed down by the 1970's, its legacy of systemic abuse of Aboriginal children is still felt today. The schools' legacy also has had an intergenerational impact on today's Aboriginal youth, and the children and grandchildren of former students. It is the questions that Aboriginal youth have been asking about residential schools that led to the creation of this exhibition.

A Personal Insight

The experience of developing this exhibition has not been easy. After examining several thousand photographs and trying to understand the residential school experience, I began to develop an understanding of my maternal grandmother, the last in my family to attend residential school. I now understand why she didn't speak her language, why she had to move to Buffalo to find work, why she worked as a house cleaner for non-Aboriginal families, and why there was so much pain and secrecy in my family. I began to understand the loneliness that residential school children and their families must have experienced. How many of us can

Européens commença graduellement à priver les cultures autochtones de leur intégrité et de leur force. Ce programme de sociologie appliquée mis sur pied par le gouvernement canadien peut être qualifié d'ethnocide :

[traduction libre] *L'ethnocide est une tentative délibérée de détruire la culture ou le mode de vie d'un peuple. L'ethnocide repose sur l'utilisation du pouvoir politique visant à contraindre un peuple relativement impuissant à abandonner sa CULTURE; il est donc caractéristique de l'époque coloniale ou d'autres circonstances où la coercition peut être utilisée. Le terme fait parfois référence à toute méthode ou politique entraînant la disparition de la culture d'un peuple.*
The Dictionary of Anthropology, publié sous la direction de Thomas Barfield

Bien que la majorité des pensionnats aient fermé leurs portes dans les années 70, on en ressent encore les effets aujourd'hui chez les enfants autochtones. Le système des pensionnats a également eu des répercussions intergénérationnelles sur les jeunes Autochtones d'aujourd'hui, ainsi que sur les enfants et petits-enfants des anciens élèves. Et ce sont ces questions que se posent les jeunes Autochtones sur les pensionnats qui ont mené à la création de cette exposition.

Opinion personnelle

La conception de cette exposition n'a pas été une expérience facile. Après avoir examiné plusieurs milliers de photographies et tenté de comprendre ce qu'était la vie dans les pensionnats, j'ai commencé à me faire une idée sur la vie qu'a menée ma grand-mère maternelle, dernier

understand what it must have been like to have been taken away from our families and placed in institutions where we didn't understand the language and were made to feel ashamed of our culture?

Some will argue that not all schools were bad and that not all teachers and administrators were abusive. Some will even argue that some children prospered. But it remains true that many fell by the wayside. We only have to look around the streets of any major city in Canada and see the effects of this ethnocide.

Yet the objective of this exhibition is not to place or direct blame. Rather, as stated earlier, it is directed at self-empowerment by providing Aboriginal people with the opportunity to begin to understand the residential school experience by being finally able to see the places to which Aboriginal children were taken. Again, the photographs offer an opportunity to come full circle and move on.

Reading Historical Photographs

Beginning in the second half of the nineteenth century, photography was instrumental in entrenching the stereotype of the so-called

membre de ma famille à avoir fréquenté un pensionnat. Je comprends maintenant pourquoi elle ne parlait pas sa langue, pourquoi elle a dû déménager à Buffalo pour chercher du travail, pourquoi elle a travaillé comme femme de ménage dans des familles non autochtones et pourquoi ma famille était si affligée et secrète. J'ai commencé à comprendre la solitude qu'ont dû ressentir les enfants qui ont fréquenté ces pensionnats et leur famille. Combien parmi nous peuvent comprendre ce que ces enfants ont dû endurer quand ils ont été arrachés à leur famille et placés dans des établissements où ils ne comprenaient pas la langue et où on les obligeait à avoir honte de leur culture?

Certains prétendront que ces pensionnats n'étaient pas tous mauvais et que les enseignants et les administrateurs n'étaient pas tous violents. D'autres iront même jusqu'à dire que certains enfants ont prospéré. Il est cependant vrai que beaucoup ont quitté le droit chemin. Il nous suffit de regarder les gens marcher le long des rues des grandes villes du Canada pour constater les effets de cet ethnocide.

Cette exposition ne vise cependant pas à rejeter le blâme sur qui que ce soit. Au contraire, comme je le disais précédemment, elle est direc-

Jim Abikoki and family in front of the fence surrounding the Anglican Mission on the Blackfoot Reserve, Alberta, ca. 1900. *Glenbow Archives, NC-5-8*

Jim Abikoki et sa famille devant la clôture entourant la mission anglicane dans la réserve des Pieds-Noirs (Alberta), v. 1900. *Archives du Glenbow Museum, NC-5-8*

"Vanishing Indian." The best known proponent of this was American photographer Edward S. Curtis, who recorded, through photographs and text, the last of tribal peoples living in the North America West. Behind the backdrop of Curtis' romanticized photographs of a dignified and proud people was the reality of their lives. Aboriginal people were facing subjugation, confinement to reserves, and the abolishment of their way of life.

Aboriginal people searching the archives for some understanding of this past face a paradox. On the one hand, there are widely circulated images by people like Curtis showing a glossed-over version of Aboriginal people. On the other hand, there are photographs that tell a different story, but they are not widely circulated or even known. Some of the photographs included in this exhibition have never been exhibited before. It's not as if people can go to the archives and ask for the box of photographs on residential schools. It does not exist. I have had to piece together this story from many collections and many archives-searching under the headings of town names, education, or even architecture.

tement axée sur l'autonomisation des peuples autochtones et se veut une occasion de les aider à comprendre ce qu'était la vie dans les pensionnats en étant enfin capables de voir les endroits où les enfants autochtones étaient emmenés. Comme je l'ai mentionné tantôt, ces photographies leur permettent de revenir au point de départ et de progresser.

Lire les photographies historiques

Au début de la deuxième moitié du XIXe siècle, la photographie servait à renforcer le stéréotype de la soi-disante « disparition des Indiens ». L'adepte le plus connu de ce type de photographie est l'américain Edward S. Curtis, qui immortalisait, à l'aide de photographies et de texte, les dernières populations tribales habitant l'Ouest de l'Amérique du Nord. Derrière ses photographies montrant un peuple digne et fier, se cachait une dure réalité. Les peuples autochtones étaient subjugués, contraints à rester dans des réserves et privés de leur mode de vie.

Aboriginal students in front of a shrine, ca. 1960.
Photographer: Sister Liliane
National Archives of Canada, PA-213333

Élèves autochtones devant une statue, v. 1960.
Photographe : sœur Liliane
Archives nationales du Canada, PA-213333

Take, for example, the photograph *Students by Shrine* (National Archives PA-213332): this photograph was not labeled as to whether it was a residential school or a day school, nor was it listed in the Aboriginal Healing Foundation's list of residential schools. Instead, I found information about it through an architectural drawing that labeled it as a residential school on the Pukatawagan Reserve in Manitoba.

Even some of the photographs that were found were difficult to make sense of. In one instance, I came across a photograph of what appeared to be an Indian chief and his son (National Archives PA-139841). However, I discovered that this is a photograph of the non-Aboriginal Deputy Superintendent of Indian Affairs Hayter Reed (1888-1897) and his stepson Jack Lowry dressed in Indian costume for a costume ball that was held on February 17, 1896, in the Senate Chamber on Parliament Hill in Ottawa.

The theme of this ball was "Canadian History," and the planners were hoping to encourage Canadians to learn more about their history. Reed was dressed as the 16th century

Les Autochtones qui cherchent dans les archives un sens à leur passé se heurtent à un paradoxe. D'une part, des images sont montrées dans le monde entier par des gens comme Curtis, qui présentent une version dissimulant la réalité des peuples autochtones. D'autre part, des photographies nous racontent une toute autre histoire, mais elles sont rares ou même inconnues. Une partie des photographies présentées dans l'exposition n'a encore jamais été dévoilée. Les gens ne peuvent pas aller dans les archives et demander qu'on leur montre la boîte contenant les photographies des pensionnats. Elle n'existe pas. J'ai dû reconstituer cette histoire en puisant dans de nombreuses collections et archives, cherchant des documents à partir de mots-vedettes comme des noms de villages, « éducation » ou même « architecture ».

Prenons, par exemple, la photographie intitulée *Students by Shrine* (Archives nationales PA-213332). On ne mentionne pas sur cette photographie s'il s'agissait d'un pensionnat ou d'une école de jour, ni si l'établissement était inscrit sur la liste des pensionnats dressée par la Fondation autochtone de guérison. J'ai plutôt trouvé ces renseignements sur un dessin d'architecture où l'on pouvait lire qu'il s'aissait d'un pensionnat situé sur la réserve de Pukatawagan, au Manitoba.

À une occasion, je suis tombé sur une photographie de ce qui semblait être un chef indien et son fils (Archives nationales PA-139841). J'ai découvert, cependant, qu'il s'agissait d'une photographie de Hayter Reed (1888-1897), non autochtone et sous-surintendent général des affaires indiennes, et de son beau-fils Jack Lowery, costumés en Indiens à l'occasion d'un bal historique tenu le 17 février 1896 dans la salle du Sénat, sur la Colline du Parlement à Ottawa.

Ce bal avait pour thème l'histoire du Canada et ses organisateurs espéraient inciter les Canadiens à mieux connaître leur histoire. Reed personnifiait le chef iroquois Donnacona, qui a vécu au XVIe siècle et qui avait fait la connaissance de Jacques Cartier alors qu'il descendait le fleuve St-Laurent. Toutefois, le costume de Reed n'est pas représentatif de la tenue des Iroquois et ressemble plutôt aux vêtements que portaient les peuples qui habitaient les Plaines. Il a fort probablement obtenu ce costume à l'époque où il était agent des Indiens dans la région de

Deputy Superintendent General of Indian Affairs, Hayter Reed, and his stepson, Jack Lowery, dressed in Indian costumes for a historical ball on Parliament Hill, Ottawa, February 1896.
Photographer:
William James Topley
National Archives of Canada, PA-139841

Le sous-surintendant général des affaires indiennes, Hayter Reed, et son beau-fils Jack Lowery, costumés en Indiens à l'occasion d'un bal historique tenu sur la Colline du Parlement à Ottawa, février 1896.
Photographe :
William James Topley
Archives nationales du Canada, PA-139841

Iroquois Chief Donnacona, who had met Jacques Cartier as he descended the St. Lawrence. Yet Reed's outfit is not representative of Iroquoian dress and appears instead to be the type of attire worn by the Plains people. Most likely he collected it during his tenure as Indian Agent in the Battleford, Saskatchewan, area. At the same time, Reed's stepson's outfit is not authentic "Indian" dress at all: it was constructed from paper. And his skin had been darkened with makeup.

Another layer of information is added to this photograph's history through Reed's own statement in his 1897 annual report for Indian Affairs:

The year just passed has shown the department that the sun dance has become an Indian ceremony almost, if not quite, of the past. For a long time the department's policy has been in the direction of suppressing it by

Battleford, en Saskatchewan. Quant à son beau-fils, il portait un costume en papier, qui n'a absolument rien de comparable aux vêtements que portaient les Indiens. De plus, son visage avait été recouvert d'un maquillage foncé.

À l'histoire de cette photographie s'ajoutent d'autres renseignements contenus dans une déclaration de Reed dans son rapport annuel de 1897 destiné aux Affaires indiennes :

[traduction libre] L'année qui vient de s'écouler a prouvé au Ministère que la danse du soleil est devenue une cérémonie indienne appartenant presque, pour ne pas dire entièrement, au passé. Depuis longtemps, la politique du Ministère recommande qu'on l'abolisse en usant de persuasion et, peu à peu, elle est privée de ses cérémonies les plus répugnantes, ce qui fait qu'en bout de ligne, une grande partie de la population indienne s'y intéresse moins. Trop longtemps on lui a

moral suasion, and step by step, it has been robbed of its most revolting ceremonies, so that in the end it has afforded little attraction to a great proportion of the Indian population.

Despite the costume ball's goal to promote Canadian history, Reed's outfit said much more about Canada's subjugation of Aboriginal peoples and indicated that such tribal clothing and ceremonial objects were now destined for the museum display case. As for young Jack Lowry's role in the photograph, another quote from Reed illustrates how additional information can add to understanding the image:

The policy of the department, as to the retention of pupils, has been that boys should remain at the industrial-schools until they attain an age at which, in addition to their having obtained a rudimentary education and some trade or calling, or at least some knowledge of carpentry, their characters shall have been sufficiently formed as to ensure as much as possible against their returning to the uncivilized mode of life.

To illustrate this policy further, the 1897 report opens with two photographs (both reproduced in this exhibition) of a young Aboriginal boy named Thomas Moore. Moore is shown in "before" and "after" photographs. The photo on the left shows Moore dressed in traditional clothing and holding a pistol in his right hand, as he would have appeared before entering school. The photo on the right shows Moore in a similar pose, now wearing a school uniform,

consacré une place dominante, trop long-temps elle a alimenté ces superstitions que l'on cherchait à abolir.

Bien que le bal visait à promouvoir l'histoire du Canada, le costume de Reed en disait beaucoup plus long sur la subjugation des peuples autochtones du Canada et indiquait que ces habits et objets de cérémonies indiens étaient désormais destinés à des présentoirs de musée. Quant au rôle que tenait le jeune Jack Lowry sur la photographie, cette citation de Reed montre jusqu'à quel point des renseignements supplémentaires peuvent aider à comprendre l'image :

Selon la politique du Ministère relativement au maintien des élèves, les garçons doivent demeurer dans les écoles industrielles jusqu'à ce qu'ils atteignent un âge où, en plus d'avoir obtenu une éducation rudimentaire et certaines connaissances techniques, du moins en menuiserie, ils se seront suffisamment formé le caractère pour réussir autant que possible à retourner à la vie civilisée.

Pour appuyer davantage cette politique, le rapport de 1897 commence avec la publication de deux photographies (toutes deux reproduites dans cette exposition) montrant un jeune Autochtone du nom de Thomas Moore. Moore y apparaît à deux époques différentes. La photo de gauche le montre vêtu d'un costume d'Indien, tenant un pistolet dans la main droite, tel qu'il aurait paru avant d'entrer au pensionnat. Celle de droite nous le montre dans une pose semblable mais portant maintenant un uniforme scolaire,

...such tribal clothing and ceremonial objects were now destined for the museum display case.
JEFF THOMAS — IROQUOIS (ONONDAGA)
GUEST CURATOR

...ces habits et objets de cérémonies indiens étaient désormais destinés à des présentoirs de musée.
JEFF THOMAS — IROQUOIS (ONONDAGA)
CONSERVATEUR INVITÉ

A young Thomas Moore, before and after his entrance into the Regina Indian Industrial School, Saskatchewan.
Department of Indian Affairs Annual Report, 1897
National Archives of Canada, C-022474

Le jeune Thomas Moore avant et après son entrée à l'école industrielle indienne de Regina (Saskatchewan).
Rapport annuel du ministère des Affaires indiennes, 1897
Archives nationales du Canada, C-022474

his hair cut, and leaning on a pedestal topped by a potted plant. Once again, we can revisit the Reed photograph and debate the symbolism conveyed by young Jack Lowrey and his relationship to Thomas Moore.

Did Reed have these racist statements in mind while posing for the portrait? His comments can be found in the Canadian Government's Sessional Reports, 1897, Department of Indian Affairs. Pages from the Department's report have been reproduced for this exhibition, providing a time capsule of the attitudes that Aboriginal people were facing.

les cheveux coupés et s'appuyant sur un piédestal surmonté d'une plante. Une fois de plus, nous pouvons réexaminer la photographie de Reed et discuter du symbolisme véhiculé par le jeune Jack Lowrey et sa relation avec Thomas Moore.

Reed avait-il ces déclarations racistes en tête lorsqu'il a posé pour cette photographie? Nous pouvons lire ses commentaires dans les Rapports parlementaires du gouvernement du Canada datant de 1897, au ministère des Affaires indiennes. Nous avons reproduit certaines pages du rapport ministériel pour les besoins de cette exposition, ce qui permet de situer dans le temps les comportements auxquels les peuples autochtones étaient confrontés.

Residential School Survivors as Role Models for Healing

The silence of the children in the photographs in this exhibition is deafening. I would like to go up to them and ask how they are, and try to reunite them with their families. I don't know what they are thinking. And, in almost all instances, the children are photographed with a teacher or religious authority. I am reminded of a prisoner-of-war scenario. True to the times of the late nineteenth century, many Aboriginal leaders throughout North America who had fought for the independence of their people were prisoners of war.

Can historical photographs contribute to the healing process? I have tried to address this question in the last section of the exhibition. Five contemporary Aboriginal men and women who attended residential schools have been identified and photographed, acknowledging that some children did survive the residential school experience. These people can act as role models for young Aboriginal people. Shirley Williams is one of these people: she not only survived but she can now lend her voice to the thousands of children we never heard from. These are some of her memories.

When ten-year-old Shirley Pheasant (Williams) entered the St. Joseph's Boarding School in Spanish River, Ontario, in 1949, she could only speak her Aboriginal language, Ojibway. Shirley describes her first impressions upon entering the school:

Les survivants des pensionnats : Des modèles de guérison

Le silence des enfants apparaissant sur les photographies de l'exposition est révélateur. On voudrait remonter jusqu'à eux et leur demander comment ils vont, et tenter de les retourner à leur famille. Nous ne savons pas à quoi ils pensent. De plus, dans presque tous les cas, les enfants sont photographiés en compagnie de leur enseignant ou enseignante, ou d'un membre du clergé. Ils me font penser à des prisonniers de guerre. Fidèles à l'époque marquant la fin du XIXᵉ siècle, de nombreux dirigeants autochtones d'Amérique du Nord qui s'étaient battus pour l'indépendance de leur peuple étaient faits prisonniers de guerre.

Des photographies historiques peuvent-elles contribuer au processus de guérison? J'ai tenté de répondre à cette question dans la dernière partie de l'exposition. Cinq hommes et femmes autochtones contemporains qui ont fréquenté des pensionnats ont été choisis et photographiés, ce qui montre qu'effectivement, certains enfants ont survécu aux pensionnats. Ces personnes peuvent servir de modèles pour les jeunes Autochtones. Shirley Williams est l'une de ces personnes. Non seulement a-t-elle survécu aux pensionnats, mais elle peut maintenant prêter sa voix aux milliers d'enfants dont nous n'avons jamais entendu parler. Voici une partie de ses souvenirs.

En 1949, alors âgée de dix ans, Shirley Pheasant (Williams), qui faisait son entrée au pensionnat St-Joseph situé à Spanish River, en Ontario, ne pouvait parler que sa langue maternelle, l'ojibwa. Shirley nous décrit sa première impression :

Aboriginal students and staff assembled outside the Kamloops Indian Residential School, Kamloops, British Columbia, 1934.
Archives Deschâtelets

Les élèves autochtones et le personnel rassemblés à l'extérieur du pensionnat indien de Kamloops (Colombie-Britannique), 1934.
Archives Deschâtelets

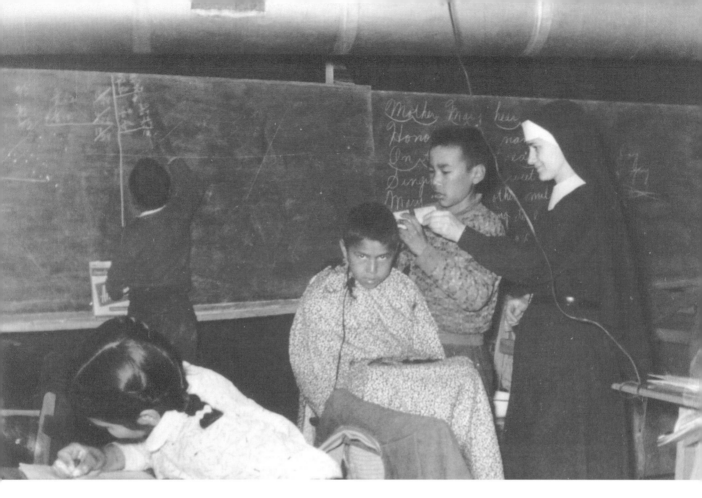

An Aboriginal boy having his hair cut, 1960.
Photographer: Sister Liliane
National Archives of
Canada, PA-195124

Jeune garçon autochtone en train de se faire couper les cheveux, 1960.
Photographe : sœur Liliane
Archives nationales du
Canada, PA-195124

When I saw the building [St. Joseph's] it was grey. A brick building when it rains is dark and grey, you know. It's an ugly day but the feeling was kinda of ugliness. Then we went down and then when they opened the gate, the gate opened and the bus went in, and I think when the gate closed, I don't know, something I always felt, that something happened to me, something locked, it is like my heart locked, because it could hear that...
[the clink of gates]
...when we got there the bus stopped and then the sister or the nun, she wasn't dressed in a habit, they didn't dress in habits, they just wore regular clothing, she came in and she sounded very very cross, and I could just imagine what she was trying to say, because this is what my sisters told me, what she would probably say, so I had in my mind what she was trying to tell us, that we get off the bus we go two by two in, through these little door and up the stairs... the stairs were, well it was four stories and no elevator and we had to walk up the stairs with our suitcases ...when we got up on top of the stairs there was tables in there and there were girls in

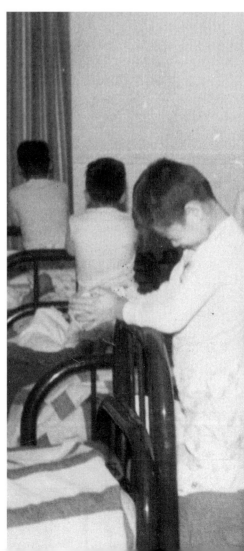

there and so when you went in your were asked your name, and they looked it up and this is what they would say... and this another thing my mother prepared me for... so I was very proud to say yes that my name was Shirley Pheasant and then they gave you a number and so you went down and they give you another bundle with your chemise they called them, your bloomers and your stocking and you went to the next person... the last one you saw the nun who looked into your hair to look for bugs.

Shirley Williams is Ojibway and had a traditional Ojibway education in early life before attending the St. Joseph's Residential School at Spanish River, Ontario. She is currently a professor in the Department of Native Studies, Language and Culture, Residential Schools, at Trent University. Also, she has published teaching materials for the Ojibway language and is working on an Ojibway language CD-ROM.

Quand j'ai vu l'édifice [le pensionnat St-Joseph], il était gris. Un édifice en brique quand il pleut, c'est foncé et gris. La journée est laide et je ressens comme un sentiment de laideur. Ensuite, on est descendu et quand ils ont ouvert la barrière, la barrière s'est ouverte et l'autobus est entré, et je pense que quand la barrière s'est refermée, je sais pas, c'est quelque chose que j'ai toujours senti, que quelque chose m'arrivait, quelque chose qui est fermé, c'est comme si mon coeur s'était fermé, parce qu'il pouvait entendre ça... [le bruit des barrières qui se ferment]
...quand on est arrivé, l'autobus s'est arrêté et la soeur ou la religieuse, elle n'avait pas d'habit de religieuse, elles ne portent pas d'habits, juste des vêtements ordinaires, elle est entrée et elle semblait très très fâchée, et je pouvais très bien m'imaginer ce qu'elle essayait de dire, parce que c'est ce que mes soeurs m'ont dit, ce qu'elle dirait probablement, donc je pensais à ce qu'elle essayait

Aboriginal boys saying their nightly prayers in the dormitory, date unknown.
Yukon Archives, T-127

Garçons autochtones récitant leurs prières du soir dans le dortoir, date inconnue.
Archives du Yukon, T-127

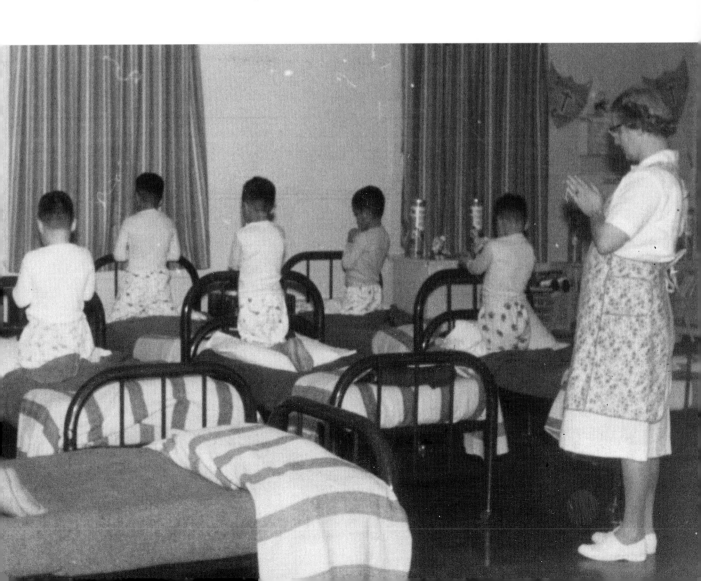

Sisters outside the Pukatawagan day school with a group of boys wearing Plains Indian-style headdresses made from paper, ca. 1960.
Attributed to Sister Liliane National Archives of Canada, PA-195120

Religieuses avec des garçons portant des coiffures en papier imitant celles des Indiens des Plaines, à l'extérieur de l'école de Pukatawagan, v. 1960.
Attribuée à sœur Liliane Archives nationales du Canada, PA-195120

The Family Archive

While doing my research, I was fortunate to visit a mother and daughter who had attended residential schools in Saskatchewan. A good friend and fellow artist Lori Blondeau introduced me to her mother, Leona Blondeau (Bird), and grandmother, Virginia Bird (Cyr). Lori, Leona, and I went out to the Gordens reserve to visit her grandmother.

We sat around the kitchen table, and I explained the residential school exhibition I was working on. I asked Virginia whether she had any photographs of herself at residential school, and she went to find her photo albums. While paging through each album she began talking about her family history. I began to realize how important it was to look through family photo albums and how these images can act as a catalyst for family stories. Surprisingly,

de nous dire, qu'on descende de l'autobus, qu'on entre deux par deux par cette petite porte et qu'on monte les escaliers... les escaliers étaient, bien, il y avait quatre étages et pas d'ascenseur et on devait monter les marches avec nos valises

...en haut de l'escalier, il y avait des tables là-dedans et il y avait des filles là-dedans et donc quand t'entrais, tu te faisais demander ton nom et ils le cherchaient et c'est ce qu'ils disaient... et c'est une autre chose à laquelle ma mère m'avait préparée... donc j'étais très fière de dire oui que mon nom était Shirley Pheasant et après, ils te donnaient un numéro, puis tu descendais et ils te donnaient un autre paquet avec ta chemise qu'ils disaient, tes culottes et tes bas et tu allais à une autre personne... la dernière que tu voyais, c'était la religieuse qui inspectait tes cheveux au cas où il y avait des bibittes.

Shirley Williams est une Ojibway. Elle a reçu l'éducation traditionnelle des Ojibway avant d'entrer au pensionnat St-Joseph de Spanish River, en Ontario. Elle enseigne actuellement au Département des études, de la langue et de la culture autochtones à l'Université Trent. Elle a également publié des documents pédagogiques pour l'enseignement de l'ojibwa et travaille à la création d'un CD-ROM en ojibwa.

Les archives familiales

Lors de mes recherches, j'ai eu la chance de rendre visite à une mère et sa fille, qui avaient fréquenté des pensionnats en Saskatchewan. Une bonne amie et consœur artiste, Lori Blondeau, m'a présenté à sa mère, Leona Blondeau (née Bird), ainsi qu'à sa grand-mère, Virginia Bird (née Cyr). Lori, Leona et moi sommes allés dans la réserve Gordens où habite Virginia.

Nous nous sommes assis à la table de cuisine et je leur ai parlé de l'exposition que je préparais sur les pensionnats. J'ai demandé à Virginia si elle avait des photographies d'elle au pensionnat et elle est allée chercher ses albums photos. D'une page à l'autre de chaque album, elle parlait de l'histoire de sa famille. J'ai commencé à réaliser combien il était important de regarder nos albums de famille et jusqu'à quel point ces images peuvent nous inciter à parler de l'histoire de notre famille.

this was the first time that granddaughter Lori had heard some of these stories about the residential schools.

Yet it was an effortless experience for all of us to listen and share while sitting around the table that winter afternoon. For me, it brought back memories of days spent on the Six Nations reserve near Brantford, listening to my family elders talk about the old days. They loved telling stories and I loved to listen.

Journeying into the past is full of twists and turns. What should we believe and not believe about the photographs? Whose stories do they tell? And can we trust the vision of the white photographer? Aboriginal people have an understandable suspicion of institutional archives. And, as my experience searching through these archives can attest, it is difficult to know what to trust and what to question. But in the end, I believe that we can choose how much power we want to give these images. There are new stories waiting to come out of the photographs shown here in the exhibition. Rather than dismissing them simply as images of colonialism or racism, we can choose, as Aboriginal people, to make them our own, to add them to our stories, and to give the children of residential schools a voice.

J'étais étonné de savoir que c'était la première fois que Lori, sa petite-fille, entendait parler de ces histoires concernant les pensionnats.

Néanmoins, ce fut pour nous tous une belle expérience au cours de laquelle, assis autour d'une table un bel après-midi d'hiver, nous avons écouté et discuté. Je me suis rappelé les journées passées dans la réserve Six Nations près de Brantford, écoutant mes ancêtres parler du bon vieux temps. Ils aimaient raconter des histoires et j'aimais les écouter.

Quand on remonte dans le passé, il faut s'attendre à plein de surprises. Que devrions-nous croire et ne pas croire au sujet de ces photographies? Quelles histoires racontent-elles? Et pouvons-nous faire confiance à la vision du photographe non autochtone? Les peuples autochtones ont des doutes concernant les archives institutionnelles et cela se comprend. De plus, comme peut en témoigner l'expérience que j'ai vécue en fouillant ces archives, il est difficile de savoir en quoi faire confiance et quoi mettre en doute. Mais, en bout de ligne, je crois que c'est à nous de décider quel pouvoir nous voulons donner à ces images. De nouvelles histoires attendent d'être racontées à partir des photographies présentées dans cette exposition. Au lieu de les rejeter comme si elles ne représentaient que le colonialisme et le racisme, nous pouvons choisir, nous, en tant que peuples autochtones, de nous en approprier, de les ajouter à nos histoires, de laisser les enfants des pensionnats rompre le silence.

A Saulteaux First Nation family, Manitoba, October 16, 1887.
Photographer: J.B. Tyrrell
Geological Survey of Canada
National Archives of Canada,
PA-050799

Famille de Saulteux du Manitoba, 16 octobre 1887.
Photographe : J.B. Tyrrell
Commission géologique
du Canada
Archives nationales du
Canada, PA-050799

"DON'T FORGET WHO YOU ARE"

"N'OUBLIEZ PAS QUI VOUS ÊTES"

Shirley I. Williams, Ojibway, attended St. Joseph's Residential School in Spanish River, Ontario, at the age of 10. As a professor in the Department of Native Studies at Trent University, Peterborough, she has published teaching materials for Ojibway language and is working on a contemporary language CD-ROM.
Photographer: Jeff Thomas
Trent University, Peterborough, Ontario, 2002

Shirley I. Williams, une Ojibwa, a fréquenté le pensionnat St. Joseph's à Spanish River (Ontario) à l'âge de 10 ans. Elle est aujourd'hui professeure au département d'études autochtones de l'Université Trent, à Peterborough, et elle a publié des ouvrages pédagogiques pour l'apprentissage de la langue ojibwa. Elle travaille présentement à la production d'un CD-ROM sur la langue ojibwa contemporaine.
Photographe : Jeff Thomas
Université Trent, Peterborough (Ontario), 2002

The interview with former Residential School student and Survivor Shirley Williams took place at Trent University in Peterborough, Ontario. This interview was conducted shortly after I made a photographic portrait of Ms. Williams for the exhibition *Where Are The Children: Healing The Legacy of the Residential Schools.*

Jeff Thomas

J: *What is the name of the residential school you attended?*

   S: I went to St. Joseph's Residential School, in Spanish, Ontario, Canada. Spanish is a small community on the north shore of the North Channel near Sault Ste. Marie, Ontario.

J: *We are familiar with the lawsuits brought against the churches by former residential school students, but I imagine there are many different stories to tell?*

   S: Children who went to the residential schools experienced the schools in many different ways. Some encountered good experiences and some not so good, and others experienced harsher treatments. These experiences had a major impact on their outlook on life.

J: *How old were you when you first went away to St. Joseph's?*

   S: In 1947, the priest came to my home to register me to attend the school, but my father and mother negotiated with the Indian agent and the priest to keep me at home for another three years. Their negotiated agreement was that they would teach me at home, including the Christian prayers, to get me ready for the school. I was to be taught catechism at

L'entrevue avec Shirley Williams, ancienne élève d'un pensionnat et Survivante, a été menée à l'Université de Trent, à Peterborough, en Ontario. Cette entrevue s'est déroulée peu de temps après qu'une série de photographies de Ms. Williams aient été prises pour l'exposition *Que sont les enfants devenus : l'expérience des pensionnats autochtones.*

Jeff Thomas

J: *Comment s'appelait le pensionnat que vous fréquentiez?*

   S: J'ai fréquenté le pensionnat de St. Joseph, à Spanish, en Ontario, au Canada. Spanish est une petite communauté sur la rive nord du Canal Nord près de Sault Ste. Marie, en Ontario.

J: *Nous sommes tous au courant des poursuites en justice entreprises par les anciens pensionnaires contre les églises, mais j'imagine qu'il y a aussi beaucoup d'autres histoires à raconter?*

   S: Les enfants qui sont allés au pensionnat y ont vécu des expériences différentes. Certains ont vécu de bonnes expériences, d'autres de moins bonnes et d'autres encore ont été traités de manière très dure. Tout ce qu'ils ont vécu à eu des répercussions majeures sur la manière dont ils perçoivent leur vie.

J: *Quel âge aviez-vous lorsque vous êtes arrivée à St. Joseph's?*

   S: En 1947, le prêtre est venu chez moi pour m'inscrire au pensionnat, mais mes parents ont négocié avec l'Agent des Indiens et le prêtre pour me garder à la maison encore trois ans. L'entente qu'ils avaient négociée stipulait qu'ils m'enseigneraient à la maison, m'apprendraient les prières chrétiennes pour que

View as seen by Aboriginal students approaching the Red Deer Indian Industrial School, Red Deer, Alberta, ca. 1900.
United Church of Canada, Victoria University Archives, 93.049P/847N

Ce que les élèves autochtones voyaient lorsqu'ils s'approchaient de l'école industrielle indienne de Red Deer (Alberta), v. 1900.
Église unie du Canada, Archives de l' Université Victoria, 93.049P/847N

Graduates of the Mohawk
Institute, Brantford,
Ontario, 1880.
*National Archives of
Canada, C-085134*

Diplômés de l'institut
Mohawk, Brantford
(Ontario), 1880.
*Archives nationales du
Canada, C-085134*

home until I reached the age of ten. My
father and mother told the priest that
they would like to keep one of their
daughters at home to pass on to her the
culture and language. My father said that
the other members of the family who
were coming home did not speak the
language and acted different. These were
the reasons why he kept me at home.
I paid a price for being kept at home till
the age of ten, for when I went to the
school, I was called stupid, and old,
because my school peers were younger
than I. On the other hand, I was told that
someday I would see people offering me
tobacco for my indigenous knowledge.
It was not exactly put like that, but my
parents always reminded me if I was
veering off in some other direction by
saying to me, "Pay attention, for someday
you will know what to say to people in
your time! Pay attention, for you do not
know why I am telling you this, but
someday you will understand!"
My brothers and sisters prepared me.
They told me what I was going to
encounter and what I would experience.
I entered the school at the age of ten years
old in 1949 and came out in 1956 with
an education.

je sois prête pour l'école. Je devais
apprendre le catéchisme à la maison
jusqu'à ce que j'aie atteint l'âge de dix ans.
Mon père et ma mère ont dit au prêtre
qu'ils voulaient garder une fille auprès
d'eux pour lui transmettre la culture et
la langue. Mon père disait que les
autres membres de la famille qui revenaient à la maison ne parlaient plus la
langue et se comportaient différemment.
C'est pour cela qu'il ma gardé à la maison.
J'ai payé cher le privilège de rester à la
maison jusqu'à l'âge de dix ans, car
lorsque je suis arrivée à l'école on me
traitait de fille stupide et de vieille, parce
que mes compagnes étaient plus jeunes
que moi. D'un autre côté, on me disait
qu'un jour les gens m'offriraient du tabac
parce que je détenais des connaissances
traditionnelles. On ne me disait pas cela
avec ces mots précis, mais lorsque je
m'écartais des enseignements, mes
parents me rappelaient à l'ordre en disant
« Fais attention, pour que tu puisses un
jour savoir ce qu'il faut dire aux gens!
Fais attention, même si tu ne sais pas
pourquoi je te dis de le faire, parce qu'un
jour tu sauras pourquoi »
Mes frères et soeurs m'avaient préparée.
Ils m'ont dit à l'avance ce qui se passait au
pensionnat et ce que j'allais vivre. Je suis
entrée au pensionnat à dix ans en 1949 et
je suis sortie en 1956 avec une éducation.

J: *Est-ce que vous parliez Anglais, à l'âge de dix
ans?*

 S: Quand je suis arrivée à l'école, je ne
parlais pas l'anglais, je parlais seulement
la langue Nishinaabe. Mais mes parents
m'ont appris un peu d'Anglais, mon nom
par exemple. Et je savais dire mes prières!
J'ai appris l'anglais en trois mois, car
j'étais complètement immergée dans
cette langue. On nous interdisait de parler
dans notre langue indienne. Nous étions
terrifiées d'être attrapées alors que nous
parlions notre langue pendant l'année
scolaire.

J: *Est-ce que l'on vous permettait de retourner
chez vous et voir vos parents?*

 S: Pendant ma première année de pensionnat, j'y suis restée toute l'année sans
jamais voir mes parents. J'y restais
pendant dix mois de l'année puis rentrais
à la maison l'été, pendant deux mois.

J: Did you speak any English at ten years of age?

S: When I entered the school, I did not know any English, I only spoke the Nishinaabe language. However, my parents taught me a little bit of English such as my name and I knew my prayers! In three months, I learned English because I was totally immersed in the English language. We were forbidden to speak the Indian language. Our worst fear was getting caught using the Indian language in the school year.

J: Were you allowed to go home and see your parents?

S: The first year I went to school I stayed there all year without ever seeing my parents. I stayed there for ten months of the year and then went home for two months during the summer.

J: What type of classes did you take at St. Joseph's?

S: In school we learned many different subjects such as English, science, math, writing, geography, history and home economics. The home economics consisted of knitting, cooking and sewing. We liked learning about these things. We never complained about what we were learning. Many children liked what they were learning.

Every month we were assigned to new jobs. We called them 'jobs' and every month we changed jobs within the school. We had 'vocational jobs', such as sweeping the floors in the dorms,

J: Quelles sortes de cours vous étaient enseignés à St. Joseph's?

S: Au pensionnat, on nous enseignait toutes sortes de sujets, tels que l'anglais, les sciences, les mathématiques, l'écriture, la géographie, l'histoire et l'économie familiale. Le cours d'économie familiale consistait à apprendre à tricoter, à cuisiner et à coudre. Nous aimions apprendre ces choses. Nous ne nous sommes jamais plaintes des sujets que l'on nous enseignait. Beaucoup d'enfants aimaient ce qu'ils apprenaient.

Chaque mois, on nous donnait de nouvelles tâches. Nous les appelions des 'boulots' et chaque mois nous devions changer de boulot dans l'école. Il y avait les 'boulots professionnels', par exemple balayer les planchers des dortoirs, des salles de récréation et du réfectoire. Le nettoyage des couloirs, des escaliers et de la salle à manger des soeurs faisait aussi partie des 'boulots', tout comme celui des toilettes et des salles de bain. Les travaux les plus durs étaient ceux du lavage, de la laiterie et des cuisines. Très souvent, durant l'après-midi, on devait sortir de la classe pour aller travailler. Durant les premières années, ils nous obligeaient à sortir de la classe pour aller travailler, mais quelques années plus tard, ils ont décidé de ne plus nous faire sortir des classes. Seuls ceux que l'on considérait comme des élèves de niveau plus avancé pouvaient aller travailler durant les heures de classe. En 1951, i l y a eu un

Girl Guides from the Fort George Anglican Indian Residential School, Fort George, Quebec, date unknown.
The Anglican Church of Canada, The General Synod Archives, GS75.103.S7.298

Jeunes filles appartenant au mouvement des Guides, pensionnat indien anglican de Fort George (Québec), date inconnue.
Église anglicane du Canada, Archives du synode général, GS75.103.S7.298

PUPILS OF THE ST. JOSEPH'S INDIAN INDUSTRIAL SCHOOL, HIGH I

recreation, and refectory. Halls, stairs and the Sister's dining room areas were also part of our 'jobs', which also included cleaning the washrooms. The heaviest jobs were the laundry, dairy and kitchen. Many times in the afternoon we would be taken out of class to go and work. In the early years we were taken out of class to work, but it was later that they decided that we could not be taken out of class. Only those that were considered more advanced were able to work during class times. There was a change of policy in 1951 by the Indian Act towards education. It was after that we were not allowed to work during school hours.

changement de politique concernant l'éducation dans la Loi sur les Indiens. C'est après ce changement dans la Loi que l'on ne nous laissait plus travailler pendant les heures de classe.

J: *La transition entre votre vie de famille et votre vie de pensionnat a dû être difficile?*
S: Après avoir quitté la maison, ce qui a caractérisé cette transition, c'est que malgré le fait que j'avais été bien préparée, ce départ a eu un grand impact sur moi. Surtout parce que je ne savais pas vraiment où l'on m'emmenait et comment j'allais réagir. Je me rappelle la voix de mes parents qui se parlaient tard dans la nuit et je ne sais plus si j'ai dormi

CRTA.

J: The transition of leaving your family for the school must have been difficult?

S: The transition of my leaving home was that in spite of my being pretty well prepared, it still had a lot of impact on me, for I really didn't know where I was going and how I was going to react. I remember hearing my father and mother talking into the night and I don't even know if I slept at all. The next day we went by a team of horses to catch the bus, which was nine miles from where we lived. We met in town to catch the bus along with all the other children who had to catch this bus. They were all from my area and had come to town for that purpose.

ou non. Le jour suivant, nous sommes allés à l'arrêt d'autobus dans une charrette tirée par des chevaux. L'arrêt d'autobus était à neuf miles de chez nous. Tous les enfants qui devaient partir pour le pensionnat étaient venus en ville pour prendre cet autobus.

Je me rappelle qu'il y avait trois autobus et dans chacun, il y avait un prêtre et une soeur. On appelait les soeurs 'Mademoiselle' et le prêtre 'Père'. Je me souviens être montée dans l'autobus sans savoir où m'asseoir. Avant que je monte dans l'autobus mon père m'a dit quatre choses. Il m'a dit « n'oublie pas ta langue », « n'oublie pas qui tu es », « Reste forte, malgré tout ce qu'ils te feront » et finalement, « apprend ce que dit la Loi sur les Indiens et reviens nous enseigner ce que tu as appris à son sujet. »

Nous avons voyagé toute la journée. Nous avions emporté un repas dans un sac, mais ils nous ont interdit de le manger car ils avaient peur que l'on vomisse dans l'autobus. Je me rappelle que j'étais excitée quand des autres filles nous ont dit que nous étions presque arrivés. Mon amie, qui était assise à côté de moi, m'a dit à l'oreille que l'on était tout près de l'école. Elle m'a aussi dit tout bas tout ce qu'elle savait du pensionnat, et c'était les mêmes choses que mes soeurs et frères m'avaient dites.

Tous mes frères et soeurs sont allés au pensionnat. Il y en avait deux. L'un s'appelait St. Joseph et l'autre l'école Garnier, qui était l'école des garçons. Les deux écoles se ressemblaient. La seule différence, c'était qu'une école, celle des garçons, avait une église où on allait tous les dimanches. Quand nous sommes arrivés en vue de l'école, l'autobus s'est arrêté et on a ouvert la barrière. Je me rappelle avoir ressenti une sorte de nausée quand la barrière s'est fermée derrière moi. Quand j'ai entendu la barrière se fermer, c'était comme si mon coeur lui-même se refermait. J'ai toujours su que quelque chose s'était passé en moi à ce moment-là, mais je n'ai jamais vraiment compris pourquoi je suis devenue si malheureuse.

Quand l'autobus s'est arrêté, la porte s'est ouverte. Mademoiselle est montée dans l'autobus. Elle s'est mise les poings sur

There were three buses that I remember and each of the buses had a priest and a nun. We called the nuns 'Miss' and the priest 'Father'. I remember getting on the bus and not knowing where to sit. Before I got on the bus my father told me four things. He said to me, "Do not forget your language", "Do not forget who you are", "No matter what they do to you in there be strong" and lastly, "Learn about the Indian Act and come home to teach us about it."

We travelled all day. We had packed a lunch, but we were not allowed to eat it for fear of getting carsick. I remember getting excited for the other girls knew we were getting near, and my friend who sat next to me whispered to me that we were near. She whispered everything, the same things my sisters and brothers said to me.

All my sisters and brothers went to residential school. There were two schools, one was called St. Joseph's and the other was the Garnier School, which was the boys' school. They both looked alike. The only difference was that one school had a church where we all went on Sundays, and this was the boys' school. As we were nearing the school the bus stopped and the gate opened. I remember feeling kind of sick when the gates closed. It was as if my heart shut down when I heard the gates close and I always knew something happened to me during that time, I never knew why I became so unhappy.

When the bus stopped the door opened and Miss came into the bus with her hands on her hips and spoke very crossly to us. I was trying to imagine what she was saying and I could tell from what my sisters had told me what it was that she was probably saying. She was saying, "When you get off the bus go in twos and go up the stairs with no talking or using the gibberish language." When we got up the stairs, as young girls, we were all out of breath carrying our suitcases. At the entrance we saw a long table with girls behind the tables and each one had something to do. As we approached them, each asked what our names were. I knew this is the part that I was trained for. She asked what my name was in

les hanches et s'est adressée à nous avec une voix fâchée. J'essayais d'imaginer ce qu'elle pouvait bien dire, et d'après ce que mes soeurs m'avaient raconté, je devinais ses paroles. Elle nous disait : « descendez de l'autobus deux par deux. Montez les escaliers en silence et ne parlez pas cette langue ignare. » Nous étions des petites filles et nos valises étaient lourdes. Quand nous sommes arrivées en haut des escaliers, nous étions toutes essoufflées. Près de la porte, nous avons vu des tables avec des filles derrière. Chaque fille avait quelque chose de différent à faire. Elles nous ont demandé notre nom. Je m'attendais à cela car j'y avais été préparée. La fille m'a demandé en anglais quel était mon nom et j'étais très fière de répondre que je m'appelais Shirley Pheasant. Elle a regardé dans son livre, a coché mon nom et m'a dit d'aller à la prochaine personne. La prochaine personne m'a examinée et la fille suivante m'a donné un paquet de linge. Ce paquet avait mon 'numéro' sur tous les habits. Le paquet contenait des culottes neuves, des bas bruns (on les appelait des bas de vieille femme) et des chemises. Il y avait aussi une robe taillée toute droite. Ce n'était pas une robe exactement, mais une sorte d'uniforme. Plus tard, j'ai appris que les filles la surnommaient le « sac à patate »! On m'a dit que c'était le numéro qui m'appartenait et que je devais toujours m'en rappeler. À partir de ce moment, tout ce qui nous appartenait portait ce numéro. On nous appelait même par ce numéro au lieu de nous appeler par notre nom.

La personne suivante était la soeur. Elle se tenait debout près des tables, à nous regarder. Elle m'a demandé comment je m'appelais si je "je faisais pipi". Bien sûr, j'ai répond oui, car il était clair pour moi que c'est quelque chose que font tous les êtres humains. Une autre fille m'a emmenée vers mon lit. Lorsque j'ai vu le lit qu'on me donnait, j'ai eu un choc, car il était plein de bosses et de creux et pas du tout comme celui qui avait été donné aux autres.

J'ai posé ma valise et j'ai commencé à l'ouvrir, mais la fille qui m'accompagnait m'a dit de laisser ma valise tranquille. Elle m'a expliqué qu'elle allait la prendre

English and I proudly said my name, Shirley Pheasant. She looked in the book checked it off and sent me to the next person. The next person checked me off and the next girl gave me my bundle of clothes. In it was my 'number' marked on all my clothes. In the bundle were new bloomers, long brown stockings (which we called old lady stockings!) and shimmies. In it was also a straight cut dress. It wasn't exactly a dress but it was a kind of uniform, which I learned later that the girls called it a "potato bag"! I was told that this was my number and the girls said if they called your number that is you and remember your number. From then on everything had the 'number' on it and we would be called by that number and not by our names. The next person I encountered was the Sister and she was standing nearby watching. She asked me what my name was and if I "pee peed" I naturally said, "Yes" as I know every human being does the bathroom thing. The next girl took me to the bed. When I realized what I

et la mettre dans la salle d'entreposage. Quand je suis revenue plus tard, la valise avait disparu, ainsi que mon nouveau tube de dentifrice et la nouvelle brosse à dent que ma mère m'avait achetée et empaqueté avec tant de fierté! Ensuite, la fille m'a dit de me déshabiller, parce que j'allais prendre un bain. Je lui ai répondu que ma mère m'avait donné un bain le matin de mon départ. Alors, la Mademoiselle est venue voir ce qui se passait. Elle m'a envoyée dans la salle de bain pour que j'aille me déshabiller et entrer dans la baignoire, car elle était déjà pleine d'eau. J'ai essayé de protester que j'étais déjà propre, mais personne ne m'a crue! J'ai donc pris le bain et la soeur est aussi venue me laver les cheveux. Elle les a d'abord examinés et je lui ai répété que je n'avais pas de « bibittes ». Elle a fait couler quelque chose sur mes cheveux en me frottant la tête. J'ai reconnu l'odeur du produit, c'était du kérosène! Après ce traitement on m'a dit d'aller me coucher, mais la soeur est revenue et a dit à une fille de me laver encore les cheveux.

" Thou Shalt Not Tell Lies."
Cree students in attendance at the Anglican-run Lac la Ronge Mission School in La Ronge, Saskatchewan, 1949.
Photographer: Bud Glunz
National Film Board of Canada
National Archives of Canada, PA-134110

« Thou Shalt Not Tell Lies » (« Tu ne mentiras point »). Élèves cris à l'école de la mission anglicane Lac la Ronge, à La Ronge (Saskatchewan), 1949.
Photographe : Bud Glunz
Office national du film du Canada
Archives nationales du Canada, PA-134110

Where have the children gone? A group of nuns with Aboriginal students, ca. 1890.
National Archives of Canada, PA-123707

Que sont les enfants devenus? Groupe de religieuses et d'élèves autochtones, v. 1890.
Archives nationales du Canada, PA-123707

was getting my heart sank, for I was given a lumpy bed and not as nice a bed as the others were getting.

I laid my suitcase that I was clutching and opened it but the girl who was chaperoning me said not to bother with it. She explained to me that she was going to take it and store it in the storage room. When I came back the suitcase was gone along with my new toothpaste, toothbrush that my mother had proudly bought and packed for me!

The next thing that happened was the girl told me to take my clothes off, as I would be getting a bath. I told her that my mother gave me a bath that morning before I came. Then the Miss came to find out what the problem was. I was sent to the bathroom to take my clothes off and get into the tub, as the water was all ready. I tried to argue that I was clean but no one believed me! I took the bath and she also came to wash my hair. She, the Miss, inspected me and again I told her that I didn't have any bugs but she sprayed something onto my head and hair, which had a familiar smell, it was kerosene! After I was told to go to my bed, she came again and told the girl to wash my hair again.

J: Lorsque j'ai parlé à des anciens élèves des pensionnats, ils m'ont dit que la seule façon de communiquer entre eux sans se faire punir était de s'inspecter mutuellement les cheveux pour chercher des poux.

S: Quelquefois, nous communiquions de cette manière, en faisant semblant de chercher des poux sur la tête de quelqu'un. On faisait semblant de chercher, comme les singes le font, et ils nous permettaient de faire cela, au pensionnat. En fait, c'est de cette manière que nous pouvions nous parler et nous dire ce qui allait arriver! Quand je regarde en arrière, je réalise que cela devait être des scènes assez bizarres, toutes ces filles qui s'inspectaient les cheveux les unes les autres pour chercher des poux! Maintenant, je peux en rire, mais à l'époque c'était loin d'être amusant.

J: Quand vous avez quitté St Joseph's, avez-vous continué vos études?

S: J'ai quitté l'école en 1956, avec en tête le slogan que les filles répétaient : « je préfère être stupide plutôt que de continuer à endurer le traitement qu'ils nous imposent ». Nous savions que le gouvernement ne pouvait nous garder au pensionnat après cet âge, puisque c'était 'l'âge de la maturité'. La plupart des filles ont quitté le pensionnat à l'âge de seize

J: During interviews with other former residential school students, I was told that only way the students could have contact with one another, and not be punished, was to pretend they were looking for lice in each other's hair.

S: Sometimes that is how we communicated, by pretending to look for lice on somebody's head. We used to pretend to look for them, just like the monkeys do, and they permitted us to do that in the school. In fact that is how we communicated and told each other as to what was coming next! When I think back now, it must have been a sight to see girls looking into each other's heads hunting for bugs! I can laugh about it now but it was not funny back then.

J: When you left St. Joseph's did you continue your education?

S: I came out of school in 1956 with the motto that the girls had: "I'd rather be dumb, than to continue to endure the treatment we were getting." We knew that the government couldn't hold us in school as we were considered 'of age' when we became the age of sixteen. Most of the girls left at the age of sixteen. They would turn sixteen and they would never come back to school. We did have an option when the school developed grades 9 and 10 under the government guidelines. Next, grades eleven and twelve were developed. I was very lucky to be able to witness the first girls who graduated from this school and also to witness how the school grades came to be. I witnessed history in the making because there was not a high school at the residential schools. This was the first in the school system.

There was something that happened to me as to the reason why I left school, which I never talked about. I always wanted my education. I dreamt that I too would be in grade twelve someday when I saw the girls graduating with grade twelve. But that didn't happen.

When I turned sixteen, the Aboriginal people celebrate this age. It is called the Rite of Passage. I guess this was happening, for my mother sent me a parcel on my sixteenth birthday. We picked it from the Sears catalogue ourselves. My mother always considered getting us something

ans. Dès qu'elles avaient seize ans, on ne les revoyait plus au pensionnat, car elles ne revenaient pas. Lorsque les lignes directrices du gouvernement ont instauré le niveau neuf et dix, on a eu le choix de rester ou de partir. Après, ils ont ajouté les niveaux onze et douze. J'ai eu beaucoup de chance d'être là pour voir les premières filles obtenir leur diplôme et aussi pour voir comment ils ont ajouté les niveaux. J'ai été témoin de l'évolution de l'Histoire, car avant, il n'y avait pas de niveau secondaire dans les pensionnats. C'était la première fois que l'on ajoutait ce niveau là.

Quelque chose m'est arrivé au pensionnat et c'est pour cette raison que je l'ai quitté. Je n'en ai jamais parlé. J'ai toujours voulu faire des études. Quand j'ai vu les filles obtenir leur diplôme, j'ai moi aussi rêvé d'atteindre le niveau douze. Mais cela n'est jamais devenu une réalité.

Puis j'ai eu seize ans . C'est un âge de la vie que les Autochtones célèbrent, on appelle cela un rite de passage. J'ai réalisé que j'avais atteint ce stade de ma vie parce que ma mère m'a envoyé un paquet pour mon seizième anniversaire. Ma mère et moi avions choisi mon cadeau dans le catalogue de Sears. Ma mère décidait toujours de choisir des choses qui étaient une taille plus grande pour que nous puissions les porter quand nous avions grandi. Cela devait nous durer encore deux ans au moins. C'était l'été. J'avais cueilli des baies sauvages et les avais vendues aux touristes. Je ne savais pas ce qu'elle avait en tête lorsqu'elle m'a demandé de choisir une robe. J'avais tellement l'habitude de porter des vêtements usagés, que je ne pouvais imaginer ou rêver de porter un jour une robe toute neuve achetée dans un magasin!

Elle m'a donc envoyé cette belle robe au pensionnat. Quand j'ai ouvert le paquet et sorti la robe, la soeur est venue voir ce que j'avais reçu, parce que toutes les filles étaient autour de moi pour voir la nouvelle robe. Elle m'a dit de l'emporter immédiatement dans la salle de couture et de la montrer au professeur de couture. J'ai couru à l'étage et le professeur était dans la salle de classe. Je lui ai montré la robe, elle l'a prise puis m'a demandé de l'essayer. Quand je l'ai eu sur moi, j'ai vu

that was one size larger so that we could grow into it and be able to wear something at least a couple of years. It was summer when I picked berries and we sold them to the tourists. I didn't know what she was planning when she asked me to pick a dress. I was so used to getting hand-me-downs that I didn't think or even dream that I was going to get a store-bought dress! To wear store-bought dresses was seen as being rich in my community then!

Anyway, she sent me this nice dress and when I opened the dress the sister came over to see what I had received, for the girls were all gathering around me to see the new dress. She told me to take it to the sewing room right away and show it to the sewing room teacher. I ran up the stairs and she was there in the room. I showed her the dress and she took it out and told me to try it on. When I got it on, I noticed that it had a lower neckline in the front part! I kind of knew what

Staff outside the entrance of the Brandon Indian Industrial School, Brandon, Manitoba, date unknown.
National Archives of Canada, PA-048575

Personnel devant l'entrée de l'école industrielle indienne de Brandon (Manitoba), date inconnue.
Archives nationales du Canada, PA-048575

qu'elle avait un décolletage! Je savais ce que le professeur allait dire, mais j'espérais qu'elle allait modifier la robe ou ne rien dire, tout simplement! Cependant, parce que la robe était trop large et que j'étais toute menue, la robe ne m'allait pas et on voyait ma gorge sur le devant. Et pour les soeurs, montrer sa gorge était un péché!

Elle m'a regardé avec un air dédaigneux. Puis elle m'a dit quelque chose comme « Qu'est-ce que ta mère essaye de faire… de te faire ressembler à une fille perdue? ». Je ne savais pas ce que fille perdue voulait dire, mais d'après le ton de la soeur je savais au fond de moi que ce n'était pas quelque chose de bien. J'ai donc essayé de protéger ma mère en lui répondant que ma mère allait à l'église régulièrement et qu'elle ne m'envoyait pas une si belle robe pour mon anniversaire sans avoir une bonne raison. Cette robe était un cadeau spécial—c'était une occasion spéciale, comme pour célébrer ou recevoir un diplôme pour une autre étape de la vie! La soeur m'a giflée en disant que j'étais une fille désobéissante et qu'elle allait m'envoyer au bureau du directeur. Bien sûr, je savais ce que cela voulait vraiment dire : être battue avec la ceinture.

Elle est d'abord allée chez le directeur pour raconter son histoire et j'ai dû entrer après elle. J'ai essayé de me défendre, mais en vain. J'ai été battue avec la ceinture, puis j'ai dû me tenir debout contre un poteau pendant trois jours, au pain et à l'eau. On m'a interdit de parler aux autres filles. Tous mes privilèges m'ont été retirés et j'ai été humiliée devant tous les élèves de l'école. Je me rappelle l'humiliation que j'ai ressentie, car la soeur avait fait croire à tous que j'essayais de devenir une personne sale. Au cours de cette période, j'ai réfléchi à propos de ce que j'allais faire, et c'est cette réflexion qui m'a motivée à ne pas retourner à l'école. J'y avais été témoin de tant de souffrances, de solitude. Personne ne nous croyait et nous étions battus pour des riens. Je n'avais pas répondu à la soeur par méchanceté, je voulais juste lui dire que ma mère était une personne religieuse et qu'elle ne m'aurait jamais offert quelque chose qui ne convenait pas à une jeune fille. Je ne lui avais

Sisters holding Aboriginal babies, ca. 1960.
Photographer: Sister Liliane
National Archives of
Canada, PA-195122

Religieuses tenant des bébés autochtones, v. 1960.
Photographe : sœur Liliane
Archives nationales du
Canada, PA-195122

she was going to say, but I was hoping we could fix it or even not say anything about it! But, because the dress was one size larger and I was tiny, the dress didn't fit right so in the front part of my dress my flesh was showing. Now, to show your flesh was considered by the Sisters to be a sin!

She looked at me with her turned up nose. Then she said something like this, "What is your mother trying to do to you… trying to make you look like a whore?" Well, I didn't know what a whore meant but by the sounds of it, I knew deep down that it was not a nice word, so I protected my mother by saying that my mother was a church-going woman and she would not send me such a nice dress on my birthday for nothing. This meant something special—it was like celebrating or graduating to the next stage of life! The nun slapped me on my face saying that I was a very disobedient girl and that I should be sent to the principal's office. Well, I knew what that meant—"a strap!"

She went first to tell her story to the principal and I went to defend myself but to no avail. I did get the strap and I stood by the post for three days with only bread and water and I was forbidden to speak to the other girls. All my privileges were taken away and in fact I was humiliated in front of the whole school. I remember

pas parlé en manquant de respect, mais je pensais à tout ce que ma mère avait enduré et sacrifié pour me donner cette robe, qu'elle avait achetée dans un magasin.

Quand je suis retournée à la maison pour Noël, j'ai demandé à mon père si je pouvais quitter l'école. J'ai aussi parlé à ma mère en lui expliquant mes raisons. Je me rappelle que je pleurais et elle m'a dit de demander à mon père s'il acceptait que je quitte l'école. D'habitude, c'était toujours ma mère qui intervenait pour nous et allait demander les choses à notre père. J'ai négocié avec lui, en lui disant que j'aiderais à la maison ou que je chercherais un travail. Je lui ai dit que je retournerais à l'école dans quelque temps.

J'ai trouvé un emploi et suis partie travailler à l'hôpital. J'ai travaillé pendant de nombreuses années dans la buanderie de l'hôpital, puis comme femme de ménage, assistante infirmière et aide de salle d'hôpital. J'ai grimpé les échelons petit à petit. J'ai tout d'abord travaillé à la buanderie, ensuite j'ai été promue à travers les emplois que j'ai obtenus dans les différents domaines que j'avais étudiés au pensionnat, que les mêmes sœurs en habit m'avaient enseignés. En fait, les employées qui étaient des « filles indiennes » et qui étaient allées au pensionnat étaient considérées comme des

feeling so embarrassed for she made it sound like I was trying to make myself a dirty human being.

During that time, I had to think about my actions and this was the motivator to not go back to school, for I saw so much pain, loneliness and not being believed, and punished for nothing. I had not answered her back out of spite, I had thought I was just telling her that my mother was holy and would not send me something that was not fitting for a young girl. I was speaking out not in a disrespectful way, but I was thinking about what my mother went through and had sacrificed for me to give me this dress that was bought from the store. When I went home for Christmas, I asked my father if I could quit school. I also told my mother and gave her the reason why. I remember crying and she told me to ask my father if I could quit school. Now usually, my mother was the one who ploughed the way for us to my father. I bargained with him that I would help around the house or find work. I told him that I would go back to school someday in the future.

I found work and I went to work in the hospital. For many years I worked in the hospital as a laundry lady, a scrub woman, nurses aide and a ward clerk. I worked my way up. I first worked as a laundry lady and received a promotion

personnes de choix pour certains emplois car les employeurs savaient que nous étions de bonnes travailleuses et qu'ils en auraient pour leur argent.

J : *Avant que nous parlions des événements qui sont survenus plus tard dans votre vie, j'aimerais que vous me parliez de votre éducation traditionnelle. Je crois que la perception du public en général est que le gouvernement fournissait une vraie éducation aux enfants autochtones.*

S : J'ai reçu une éducation traditionnelle à la maison, avant d'aller au pensionnat. Mes parents m'ont enseigné ce dont j'avais besoin, pourquoi et comment les choses sont faites dans une vie traditionnelle. Nous avons appris les remèdes traditionnels, quand récolter les plantes médicinales et quels étaient leurs usages. De cette manière j'ai appris la science ou la biologie des plantes et des arbres— autrement dit j'ai fait des études environnementales sur les arbres. Comment couper et recueillir l'écorce des bouleaux sans endommager l'arbre, comment la faire sécher et la préserver. J'ai appris la science de la météorologie. J'ai appris à connaître les saisons et comment celles-ci aident les êtres humains à survivre selon leur cycle.

Sisters, clergy and Aboriginal children, ca. 1960.
Photographer: Sister Liliane National Archives of Canada, PA-213330

Religieuses, membres du clergé et enfants autochtones, v. 1960.
Photographe : sœur Liliane Archives nationales du Canada, PA-213330

in the different fields of certain jobs that I had done at the residential school from those same kind of nuns that wore habits. Actually, if employees were "Indian girls" and if they had gone to residential school, they were considered first choice for a job for they knew we would work and they would get their money's worth.

J: *Before I ask you about events later in your life, I would like to ask about your traditional education. I think the public's general perception is that the government was providing a real education for Aboriginal children.*

S: I received the traditional education at home before going to the residential school. My parents taught me what was needed and what and how it was done in the traditional ways of life. We learned about medicines and when to pick them and what they were used for. In this way I was learning about science or the biology of plants and trees—that was the environmental studies about trees. By picking and cutting birch bark we learned how to only take the bark off the tree without harming the tree and how to dry and look after the bark when it was stored. I learned about the science of the weather. I learned about seasons and how these seasons helped human beings to survive according to the season.

J: *Y a-t-il eu dans vote vie des personnes modèles qui vous ont inspirée?*

S: Mes parents ont été des modèles pour moi. Ils m'ont tout appris sur la vie traditionnelle. Ma grand-mère a été celle qui m'a appris à être une femme. Elle était une raconteuse. Elle me racontait des histoires lorsque nous allions à la cueillette des baies sauvages ou lorsque nous allions récolter la sève à la saison du sirop d'érable.

J: *Et si nous parlions de ce qui vous est arrivé plus tard dans la vie?*

S: Beaucoup plus tard, lorsque j'ai eu quitté le pensionnat, je suis retournée de temps en temps aux études, lorsque j'en avais l'occasion. J'ai pris des cours de rattrapage et des cours par correspondance offerts par le ministère de l'Éducation. J'ai aussi pris deux cours du soir et plus tard, un cours de rattrapage pour obtenir mon niveau douze. J'ai repris mes études à temps plein lorsque je suis allée à l'université. L'une des personnes modèles qui m'ont inspirée était une fille qui est devenue ma grande soeur à l'école. Au pensionnat, on nous désignait une fille plus âgée qui devenait notre grande soeur. C'était elle qui rapiéçait nos chaussettes trouées et réparait nos vêtements lorsque nous étions petites. J'ai aussi eu une autre personne modèle, une fille de ma communauté qui habitait en haut de la colline. Ces deux filles ont continué leurs études et sont devenues infirmières. Je suis encore amie avec l'une d'entre elles, même si je l'ai un peu perdue de vue. Nous nous sommes un jour retrouvées dans la même communauté. Elle y travaillait là à ce moment-là.

Je suis retournée à l'école après avoir brisé une relation, quitté un mauvais mariage. C'est à ce moment-là que j'ai décidé de terminer ce que j'avais commencé il y avait si longtemps. Je me suis dit : « Je vais essayer de faire ce que j'avais promis à mon père il y a de nombreuses années. Je vais finir mes études. Si je réussis, tant mieux, et si j'échoue au moins je pourrai dire que j'ai essayé ». C'est donc avec cette détermination que je suis entrée à l'université en 1979. J'ai obtenu mon Baccalauréat es Art en 1983.

J: Who were your role models?

S: My role models were my parents who taught me everything about the traditional ways. My grandmother was my teacher about womanhood. She was the storyteller when we went picking berries or when we had to go during the maple sugaring season.

J: What took place later in your life?

S: Much later, after I quit school, I went back to school periodically, whenever I had the opportunity. I took upgrading courses and took correspondence courses from the Ministry of Education. I also took night courses and later I took an upgrading to get my level 12. I returned to school full time when I went to university. One of my role models was a girl who became my big sister in school. At the residential school we were assigned to a bigger girl who became like a sister. She was the one who darned your socks and mended your clothes when you were little. I also had another role model, a girl from my home community who lived up the hill. Both of these girls went on to get more education and became nurses. I am still a friend with one of them, although I lost track of her, but we later ended up in the same community where she was working and met again.

I went back to school after going through a bad marriage and getting out of that relationship. This was when I really decided to finish what I began a long time ago and this is what I thought, "I am going to try to finish what I had promised

En 1996, j'ai reçu ma maîtrise. J'ai poursuivi ce programme d'études tout en travaillant et en enseignant. Je ne recommanderais à personne de travailler et de faire des études en même temps, mais je l'ai fait avec toute la détermination dont j'étais capable. J'ai commencé ma carrière professionnelle en 1984, en enseignant un cours sur les compétences de vie pour les femmes. Puis je suis allée au Collège Niagara pour enseigner et développer le programme intitulé Autochtones en transition. Nous avons formé et préparé les personnes autochtones désireuses de retourner sur le marché du travail ou aux études.

J: Quand avez-vous commencé à enseigner la langue Ojibway?

S: En 1986, j'ai obtenu un emploi à l'Université Trent, comme professeur de langue. J'y enseigne la langue Ojibway depuis 1990. J'enseigne également à l'Université Lakehead, au sein du programme pour les enseignants des langues autochtones. Une fois mon baccalauréat obtenu, tout a semblé me diriger vers l'enseignement, y compris l'enseignement de la langue. Lorsque j'ai été embauchée, en 1986, je pensais « Comment vais-je enseigner et quoi? ». J'ai eu de la chance car le programme pour les enseignants des langues autochtones venait juste de commencer à l'Université Lakehead. Ce programme avait pour but d'aider les étudiants à enseigner et en particulier à enseigner les langues. Je suis donc rentrée à l'Université Lakehead et y ai obtenu

Inuit children who lived too far away and had to stay at school during the summer. Anglican Mission School, Aklavik, N.W.T., 1941.
Photographer: M. Meikle National Archives of Canada, PA-101771

Enfants inuits qui devaient passer l'été à l'école parce qu'ils habitaient trop loin, école de la mission anglicane à Aklavik (T.N.-O.), 1941.
Photographe : M. Meikle Archives nationales du Canada, PA-101771

my father so long ago and finish my education. If I should succeed, that is good, and if I should not succeed, at least I know I tried" This was the way that I entered university in 1979 and I graduated in 1983 with a B.A.

In 1996, I received my M.A. and I went through that educating myself while still working and teaching at the same time. I would never recommend anyone to work and attend school at the same time but I did it with sheer determination. I began my career in 1984, teaching the Life Skills For Women course. I then went to work at Niagara College to teach in and develop the Natives in Transition Program. We trained and prepared Aboriginal people who were going back to the work force or going back to school.

J: *When did you begin teaching Ojibway language?*

S: In 1986, I found a job at Trent University teaching languages. I have been teaching Ojibway languages here and at Lakehead University for the Native Language Instructor's Program since 1990. After I finished my B.A. everything seemed pointed into the direction of teaching, including teaching the language. In 1986 when I was hired, I thought, "How am I going to teach and what I am going to teach?" It was a lucky thing that there

mon diplôme, ma spécialisation étant l'enseignement des langues.

Après ces années d'enseignement, je me rends compte à quel point les gens savent peu de choses sur les pensionnats. Personne n'en parlait sauf ceux qui les avaient fréquentés et certains n'en parlaient jamais. Même aujourd'hui, il y a encore beaucoup de gens qui ne savent rien ou qui ne comprennent pas ce qui s'est passé en ce qui concerne l'éducation des Autochtones. En fait, lorsque je parle du pensionnat et de l'éducation que nous avons reçue en tant que femmes autochtones, certaines personnes disent ne jamais avoir entendu parler des pensionnats. Personne ne veut en parler. On disait même aux filles qui habitaient dans la ville où se trouvaient nos pensionnats de ne pas aller jouer en bas de la colline ou près des deux écoles. On leur disait qu'elles étaient hantées. Les deux pensionnats ont été fermés, l'un en 1958 et l'autre en 1960. Ce deuxième bâtiment a brûlé. Les structures des bâtiments sont encore debout et les gens peuvent voir que c'était une école.

J: *Vous avez conservé votre langue, ceci est un accomplissement remarquable.*

S: Au pensionnat, les Autochtones ont perdu leur langue et leur culture, mais moi, je n'ai jamais perdu ma langue parce je suis

A young Aboriginal boy in the classroom, ca. 1960.
Photographer: Sister Liliane National Archives of Canada, PA-213331

Jeune garçon autochtone dans une salle de classe, v. 1960.
Photographe : sœur Liliane Archives nationales du Canada, PA-213331

CONTEMPORARY ROLE MODELS

MODÈLES CONTEMPORAINS

Madeleine Dion Stout, Cree, Kehewin First Nation, attended the Blue Quills Indian Residential School in St. Paul, Alberta. She is a former professor of Canadian Studies, and Director of the Centre for Aboriginal Education, Research and Culture at Carleton University, Ottawa. A past president of the Aboriginal Nurses Association of Canada, she is well respected for her work in Aboriginal health issues.
Photographer: Jeff Thomas
Ottawa, Ontario, 2001

Madeleine Dion Stout, une Crie de la Première Nation Kehewin, a fréquenté le pensionnat Blue Quills de St. Paul (Alberta). Elle a été professeure en études canadiennes, puis directrice du Centre for Aboriginal Education, Research and Culture à l'Université Carleton, à Ottawa. Ancienne présidente de l'Association des infirmières et infirmiers autochtones du Canada, elle est reconnue pour son travail dans le domaine de la santé autochtone.
Photographe : Jeff Thomas
Ottawa (Ontario), 2001

was a Language Instructors program starting at Lakehead University to help student teachers in teaching and how to teach the language. I entered and received my diploma from Lakehead University with an emphasis in teaching language. After teaching now, I know that no one knew or very little was known about residential schools. No one ever talked about that except those who went and some never did. Even today, there are still a lot of people who do not know or understand about Aboriginal peoples' education. In fact, when I talk about this school and the kind of education we got as Aboriginal women, some people have never heard about residential schools. No one was ever willing to talk about it. Even the girls who lived in the town where the schools were, were told not to play down the hill or near the schools, for

allée au pensionnat à l'âge de dix ans. J'avais déjà une bonne fondation en ce qui concerne ma langue, c'est pour cela que je ne l'ai jamais oubliée. On a obligé les autres à oublier leur langue et leur identité. Les autres se sont résignés à faire ce que les prêtres et les religieuses les obligeaient, c'est-à-dire renoncer à notre langue, qui, selon eux, était inutile. Ils disaient que nous ne pourrions jamais l'utiliser dans nos futurs emplois. Les autres pensionnaires étaient trop jeunes pour réaliser ce qui leur arrivait.

Les gens me demandent toujours : « Comment as-tu réussi à garder ta langue alors qu'il nous était interdit de la parler? » Je leur réponds toujours que lorsque j'allais me coucher, je me couvrais le visage avec le drap et, ainsi cachée, je pratiquais ma langue. J'imaginais que j'étais à la maison, assise à la table de la cuisine, en train de parler avec mes parents. Je ne m'apercevais pas que je murmurais et une nuit, la soeur qui inspectait les rangées de lits m'a entendue. Elle a retiré le drap brusquement, ce qui m'a fait sursauter. Elle m'a demandé : « Tu es en train de prier? » et j'ai immédiatement répondu, sans réfléchir : « Oui, mademoiselle ». Elle est partie sans me poser d'autres questions.

J: Pourriez-vous partager quelques-unes de vos pensées au sujet de l'identité autochtone et de la guérison?

S: En ce qui concerne l'identité, j'ai eu une crise d'identité lorsque j'ai quitté le pensionnat. Je ne savais plus qui j'étais— étais-je Indienne ou pas? Je croyais que j'étais blanche ou je voulais être blanche. Quand je suis allée travailler, une fois que j'ai été payée, j'ai acheté de la poudre blanche, du rouge à lèvre et du rouge pour les joues. Quand je suis rentrée à la maison avec ma première paie, je me suis arrêtée ici et là, pour montrer à tout le monde ce que j'avais. Pendant ce temps, ma mère m'attendait. Elle m'avait préparé du thé et quand je suis rentrée, elle m'a regardée. J'étais si fière de revenir à la maison et lui montrer ce que j'avais accompli. Elle m'a demandé : « Est-ce qu'ils n'ont pas d'eau à ton travail? Tu devrais te regarder dans le miroir ». J'ai obéi et me suis regardée dans le miroir.

they considered them haunted. Both of these residential schools were closed, one in 1958 and the other in 1960. The other building burned. The building structures are still standing for people to see and witness that this was where a school once stood.

J: It is remarkable you were able to retain your language.

S: In the Residential School, we lost our language and culture but I never lost my language because I was the age of ten when I went. The language had its foundation already in my mind so I never forgot it. Others were made to forget the language and their own identity. Others bought what we were told by the priest and nuns, that the language would never be any good to us. We would never use it for jobs in the future. Others were just too young to know what was happening. I have always been asked this question, "How did I still keep my language when we were not permitted to speak our language?" I always tell them that when we used to go to bed, I used to cover myself with the sheet over my head and here I would practice speaking my language. I would imagine that I was back home at the kitchen table speaking to my parents. I didn't know I was whispering and one night the sister was inspecting the rows and she heard me and me swiftly lifted the covers off me. When she did that she startled me. She asked, "Are you praying?" and I immediately said without realizing what I was answering, "Yes Miss" She left and never questioned me any more!

J: I would like to ask you about your thoughts on Aboriginal identity and healing.

S: About identity, I had an identity crisis. When I got out I didn't know who I was —Indian or not! I thought I was white or wanted to be white. When I went to work and after getting paid, I bought white powder, red lipstick and rouge. When I went home after my first pay, I was showing off what I got and Mother was waiting. She had tea ready for me and when I went in, she looked at me. was so proud to get home and show a little bit of my accomplishments. She

Ce que j'ai vu n'était pas très beau. Mon visage était couvert de blanc et mes lèvres étaient écarlates. Je ne savais même pas comment me maquiller. Alors je me suis lavé le visage et ai pris le thé avec ma mère. Elle m'a dit : « si le Créateur voulait que tu ressembles à cela, tu serais née comme cela. Maintenant tu ressembles à toi, belle et propre!» Je n'ai pas porté de maquillage pendant longtemps! Je n'avais pas réalisé que j'avais essayé de couvrir la couleur brune de ma peau. Je ne me rendais pas compte non plus que j'essayais de faire partie de la société blanche. Mais, d'un autre côté, peut-être bien que je le savais au fond de moi, parce que les gens de la ville se moquaient de nous en nous traitant de « noireaudes » ou de « squaws ».

J'ai eu la chance d'enseigner un cours sur l'identité autochtone. L'expérience que j'ai

Douglas Cardinal, un Métis pied-noir, a fréquenté le pensionnat St. Joseph's près de Red Deer (Alberta). Il est aujourd'hui un architecte reconnu et respecté, et il a fondé une des premières sociétés d'architecture entièrement automatisées en Amérique du Nord. Le Musée canadien des civilisations, situé à Gatineau (Québec), est une de ses plus grandes réalisations.
Photographe : Jeff Thomas Musée canadien des civilisations, Gatineau (Québec), 2002

CONTEMPORARY ROLE MODELS

MODÈLES CONTEMPORAINS

Douglas Cardinal, Blackfoot Métis, attended St. Joseph's Convent Residential School near Red Deer, Alberta. A well-known and respected architect, Cardinal established one of the first fully electronic architectural firms in North America. One of Cardinal's best known design projects is the Canadian Museum of Civilization in Gatineau, Quebec.
Photographer: Jeff Thomas Canadian Museum of Civilization, Gatineau, Quebec, 2002

CONTEMPORARY ROLE MODELS

MODÈLES CONTEMPORAINS

Pitsula Akavak, an Inuk from Kimmirut (Lake Harbour), Baffin Island, attended the federal day school in Frobisher Bay. She is involved with a holistic healing program for Inuit inmates at the Fenbrook Institution, in Bracebridge, Ontario.
Photographer: Jeff Thomas
Near the Fenbrook Institution, Bracebridge, Ontario, 2002

Pitsula Akavak, une Inuite de Kimmirut (Lake Harbour), sur l'île de Baffin, a fréquenté l'école fédérale de Frobisher Bay. Elle collabore à un programme de guérison holistique d'Inuits détenus à l'établissement Fenbrook, à Bracebridge (Ontario).
Photographe : Jeff Thomas
Près de l' établissement Fenbrook, Bracebridge (Ontario), 2002

asked me this, "Do they not have water where you work. You should take a look in the mirror." I obeyed and looked into the mirror. What I saw next was not a pretty picture, I was all white and my lips were too red and I didn't even know how to put makeup on myself. So I washed my face and went to drink tea with her. Than she said, to me "If the Creator wanted you to look like that, you would have been born like that. Now you look like yourself, nice and clean!" For a long time I never wore makeup! I didn't know that I was trying to cover my brownness. The other thing was that I wasn't aware that I was trying to join the mainstream society. Maybe I did know deep down because we used to be made fun of as being "brown girls" or "squaws" in town.

vécue en donnant ce cours m'a aidée à me guérir, parce qu'au fur et à mesure que je l'enseignais, je me développais, grandissais. J'ai enseigné la langue, et j'ai découvert non seulement les innombrables mots qu'elle contient, mais que parmi ceux-ci, certains sont des mots véritablement guérisseurs. L'an dernier, j'ai donné un atelier sur les mots guérisseurs. C'est fascinant de réaliser combien de nos mots sont des mots guérisseurs.

J: Maintenant que vous avez vu l'exposition, que pensez-vous de tout cela?

S: Lorsque j'ai fait le tour de l'exposition photographique « Que sont les enfants devenus » et que nous étions sur le point de quitter la salle, j'ai remarqué la Charte des droits humains, dans la toute dernière section de l'exposition. Ce qui m'a frappé, c'est le mot « Droits ». Nous ne savions pas que nous avions des droits. Tout nous était dicté. Ils utilisaient la cloche pour nous dire quand il fallait nous déplacer et quand il fallait rester en place. Nous étions comme des automates ou des soldats qui marchaient au son de la cloche, qui attendaient qu'elle sonne pour exécuter les ordres suivants. Vous savez, lorsque je suis sortie du pensionnat, j'étais incapable de faire quoi que ce soit de mon propre chef. Mes parents devaient me dire ce que je devais faire. Alors je pense à la phrase qui dit : « J'ai le droit d'avoir ma propre opinion ! » . Je n'ai jamais réalisé que j'avais ce droit-là, lorsque j'étais une jeune fille. C'est seulement lorsque j'ai pris le cours sur les compétences de vie il y a quelque temps que je suis devenue consciente de ce droit.

J'avais toujours peur de répondre quand quelqu'un me parlait. C'était comme si j'étais obligée de faire ce qu'ils me disaient et de le faire immédiatement, même si je savais que ce n'était pas mon travail, ma responsabilité. J'avais peur de subir les conséquences si je désobéissais. Alors, j'écoutais et je m'exécutais sans poser de questions ! J'avais appris à me soumettre et à vivre comme une martyre parce c'était ce que j'avais appris au pensionnat —à vivre le martyre.

I had a chance to teach a Native Identity course. Teaching the identity course helped me to heal myself because as I was teaching I also grew. I have been teaching language and in the language there are a lot of words and some of these are healing words. Last year I did a workshop on healing words. It was fascinating that we do have words that pertain to healing.

J: Now that you had a chance to see the exhibition, what are your thoughts?

S: When I saw the "Where Are the Children?" photographic exhibition, as we were leaving the exhibition I noticed the Personal Bill of Rights at the very last part. What stands out for me was the "Rights". We didn't know we had rights. Everything was dictated to us. The bell was used as a method to move us and when to move. We became like zombies or soldiers listening to a bell telling us when or what to do next. You know, when I came out of school I did not know what to do. It was my parents who told me what to do next. And the right that says, "I have a right to my own opinion!" I was never aware of that right when I was young girl. I became aware of it only after taking the Life Skills Course some time ago.

I was always scared to answer if someone told me something. It was as though I had to do it if they told me to and do it right away even though I knew it was not my job, for fear of receiving repercussion. I listened and did it without question! I learnt to be submissive and to live as a martyr because that was what I was taught, to live in martyrdom.

J: Is there one image from the exhibition that stands out for you?

S: One image that stands out for me was the picture of girls in their white dresses ready for communion or confirmation. It was so real and a lot of memories came back and I could even hear the marching of shoes on the ground going to church. I never forgot those sounds or the bell. You know for a long time, I could not stand the sound of a bell. When someone dies at home, they used to ring the bell at church and over time, when I heard the bell, I got lonesome for some reason.

J: Y a-t-il une image de l'exposition qui vous a marquée en particulier?

S: L'image qui m'a le plus marquée est celle qui montre des jeunes filles en robes blanches. Elles s'apprêtent à faire leur communion ou peut-être leur confirmation. Cette photographie était tellement réelle pour moi, elle a fait remonter de nombreux souvenirs à la surface. Je pouvais même entendre le son cadencé des chaussures frappant le sol sur le chemin de l'église. Je n'ai jamais oublié ces sons-là, ni le son de la cloche. Pendant très longtemps, je ne pouvais pas supporter d'entendre les sons de cloches. Dans notre communauté, quand quelqu'un mourrait, ils faisaient sonner la cloche de l'église et au fil du temps, à force de l'entendre pour ce genre d'occasion, chaque fois que j'entendais une cloche, un sentiment de tristesse et de solitude

Le juge Alfred Scow, membre de la Première Nation Kwicksutaineuk, sur l'île Gilford, et chef héréditaire, a fréquenté le pensionnat St. Michael's à Alert Bay (Colombie-Britannique), son village natal. Il est le premier Autochtone à avoir été admis au Barreau de la Colombie-Britannique; il siège maintenant à la Cour provinciale, à Coquitlam. *Photographe : Jeff Thomas Musée d'anthropologie de l'Université de la Colombie-Britannique, 2002*

CONTEMPORARY ROLE MODELS

MODÈLES CONTEMPORAINS

Judge Alfred Scow, Kwicksutaineuk First Nation, Gilford Island Band, hereditary chief. Judge Scow was born in Alert Bay, British Columbia, where he attended St. Michael's Residential School. He is the first Aboriginal to be called to the bar in British Columbia and presides over the Provincial Court in Coquitlam. *Photographer: Jeff Thomas Museum of Anthropology at the University of British Columbia, 2002*

I would have sad feelings. At the time I thought it was because I knew someone died.

I have always wondered why the bell was used. When I saw the movie of "Bells of Saint Mary" one Christmas, I finally found out why the bell was so important, for the Ministry it was a symbol of the "call of God"

J: *Are you optimistic about the future for Aboriginal people?*

S: It is my opinion that the Aboriginal people are in the movement of a healing journey. I have noticed that there is sobriety in our leadership and the beginning of sobriety in many of the Aboriginal communities. Now that there has been an apology by the churches and government, there seems to be a lot of people trying to face their ghosts by dealing with what happened to them in the school system. I think when we deal with the past, then the people will move on but first we must talk about it. The more we talk about it the more it will become easier for some. The people have been taught to be submissive while everything was stolen. We were unaware of what was happening to our children and people.

The Elders talk about this, that there was going to be a time when the people would be asleep. When we would wake up, we would recognize that our children would be gone. The children were taken away from communities for residential school and of course also during the 60's scoops—Children's Aid took and 'looked after' our children. The time has come now to take back our inheritance of taking care of our children and our children's education for the better. We want to take back our education and teach our history, our language and our culture. We have begun to tell our story —our history—and we want to tell it in our own words to the world, so that this will never happen to any of the other nations in the world.

We want to tell how we were treated by the church and the government. Our children want a better life and we want them to have a better life than we did. We want to feel well and be accepted.

m'envahissait. J'éprouvais ces sentiments, mais sans trop savoir pourquoi. À ce moment-là, je pensais que c'était parce que je savais que quelqu'un était mort. Je me suis toujours demandée pourquoi ils faisaient sonner les cloches. Lorsque j'ai vu le film « Bells of Saint Mary » une année à Noël, j'ai finalement compris pourquoi la cloche était si importante. Pour l'église c'était le symbole de « l'appel de Dieu ».

J: *Est-ce que vous anticipez l'avenir des Autochtones avec optimisme?*

S: Je crois que les peuples autochtones ont entrepris un mouvement vers la guérison. J'ai remarqué que de nombreux dirigeants autochtones sont devenus sobres, et que de nombreuses communautés autochtones aussi ont amorcé des démarches de sobriété. Maintenant que les églises et le gouvernement ont présenté des excuses, il semble que beaucoup de gens essayent de confronter leurs démons en acceptant d'examiner ce qu'ils avaient vécu dans les pensionnats. Je crois que lorsque nous acceptons de confronter le passé, nous pouvons progresser, mais il faut d'abord parler de ce passé. Plus nous en parlerons, plus cela deviendra facile. Les gens ont appris à se soumettre pendant que tout leur était volé. Nous ne nous rendions pas compte de ce qui arrivait à nos enfants et à nos peuples. Les Aînés parlent de cela, ils parlent d'un temps où « les peuples seront endormis ». Ils disent aussi que quand nous nous réveillerons, nous nous apercevrons que nos enfants sont partis. Nos enfants ont été arrachés à nos communautés. Ils ont été placés dans des pensionnats. Mais ils nous ont aussi été enlevés pendant le grand ramassage des années soixante. L'Aide à l'enfance a enlevé nos enfants pour 'en prendre soin'. Le temps est venu de reprendre ce qui nous appartient, d'honorer les devoirs que nous avons envers nos enfants, d'en prendre soin nous-mêmes et de les éduquer pour un avenir meilleur. Nous voulons reprendre la responsabilité de notre éducation, enseigner notre Histoire, notre langue et notre culture. Nous commençons tout juste à raconter notre histoire—notre Histoire—et nous voulons la dire au

We want to feel that we have something to offer in this world and not be known as a sick Nation. The Aboriginal people are beginning to receive more education and the more education we have, the better will be the economies in our communities. The more education we have, the better will be our relationship with the government and our ability to argue for our rights. There has to be justice done with the Aboriginal people, only then the healing will happen.

monde avec nos propres mots, pour que ce qui nous est arrivé n'arrive jamais plus à aucune autre nation du monde. Nous voulons raconter comment nous avons été traités par les églises et par le gouvernement. Nos enfants veulent un meilleur avenir. Nous voulons qu'ils aient une vie meilleure que celle que nous avons vécu. Nous voulons nous sentir bien et être acceptés. Nous voulons sentir que nous avons quelque chose à offrir au monde et ne pas être vus comme une nation malade. Les peuples autochtones commencent à recevoir une éducation plus solide, et plus nous sommes éduqués, plus les économies de nos communautés prospèreront. Plus nous serons éduqués, plus notre relation avec le gouvernement et notre capacité à faire valoir nos droits s'amélioreront. Il faut d'abord que les peuples autochtones obtiennent justice. C'est seulement à ce moment-là que la guérison pourra réellement se faire.

The Alexie family, Ulkatcho First Nation, at Mud Bay, about 34 miles up the Bella Coola River, July 28, 1922.
Photographer:
Harlan I. Smith
Canadian Museum of Civilization, No. 56918

La famille Alexie de la Première Nation Ulkatcho, à Mud Bay, à environ 34 milles en amont de la rivière Bella Coola, 28 juillet 1922.
Photographe :
Harlan I. Smith
Musée canadien des civilisations, nᵒ 56918

The Aboriginal Healing Foundation and the Legacy of Hope Foundation:

Helping Aboriginal People Help Themselves IN THE AFTERMATH OF THE RESIDENTIAL SCHOOL SYSTEM

La Fondation autochtone de guérison et la Fondation autochtone de l'espoir :

Aider les peuples autochtones À SURMONTER LES RÉPERCUSSIONS DU SYSTÈME DES PENSIONNATS

Inuit mother and child at
Port Harrison, Quebec, ca.
1947-1948.
Photographer:
Richard Harrington
National Archives of
Canada, PA-147049

Mère et enfant inuits à
Port Harrison (Québec),
v. 1947-1948.
Photographe :
Richard Harrington
Archives nationales du
Canada, PA-147049

Introduction:

The Aboriginal Healing Foundation was established on March 31, 1998 to support healing initiatives for Aboriginal people affected by the intergenerational legacy of physical and sexual abuse in the Canadian residential school system. As the Healing Foundation's 10-year mandate will expire in March 2009, the Legacy of Hope Foundation was established, on July 17, 2000 to carry out a fundraising campaign in order to finance a longer term and broader healing strategy.

"A National Crime": A Brief History of the Residential School System

Government records show that the residential school system was a deliberate attempt by the Canadian government to break down Indian families and thereby "get rid of the Indian problem." The "Indian problem," as it was called in most government documents, was

Introduction :

La Fondation autochtone de guérison a été créée le 31 mars 1998 dans le but d'appuyer les projets de guérison des peuples autochtones touchés par la violence qui sévissait à l'intérieur des murs des pensionnats autochtones. Comme la Fondation arrive au terme de son mandat de 10 ans en mars 2009, on a créé la Legacy of Hope Foundation le 17 juillet 2000 afin de poursuivre la mission de la Fondation autochtone de guérison en amassant des fonds.

« Un crime national » : Bref historique du système des pensionnats

Les documents gouvernementaux révèlent que le système des pensionnats était une tentative délibérée du gouvernement canadien de séparer les familles autochtones et ainsi « résoudre le problème autochtone ». (Le « problème autochtone », comme on l'appelle dans la plupart des documents gouvernementaux, était tout simple-

A group of students and parents from the Saddle Lake Reserve en route to the Methodist-operated Red Deer Indian Industrial School, Alberta, date unknown.
National Archives of Canada, PA-040715

Groupe d'élèves et de parents de la réserve de Saddle Lake en route vers l'école industrielle dirigée par l'Église méthodiste à Red Deer (Alberta), date inconnue.
Archives nationales du Canada, PA-040715

merely the fact that Indians existed, and were living on lands the settlers wanted for themselves. The system was officially in effect between 1892 and 1969 through arrangements between the Government of Canada and the Roman Catholic Church, the Anglican Church, the United Church, and the Presbyterian Church. Although the Government of Canada officially withdrew in 1969, some of the schools continued operating throughout the 70s and 80s.

Under the residential school system, Aboriginal children between the ages of 6 and 15 were taken from their parents and communities and institutionalized in residential schools. In many cases, children were relocated far from their communities. Some communities had all of their children forcibly removed, others were coerced with the false promise that their children would be educated and treated well. Many of these children, in addition to the emotional abuse of being robbed of a family and a culture, were subjected to horrific physical and/or sexual abuse by some of the adults running the schools. Children who tried to escape were beaten,

ment le fait que les Autochtones existaient et qu'ils vivaient sur les terres que les colons voulaient garder pour eux.) À l'issue d'ententes signées entre le gouvernement du Canada et l'Église catholique romaine, l'Église anglicane, l'Église unie et l'Église presbytérienne, le système des pensionnats fut officiellement instauré en 1892 et dura jusqu'en 1969. Bien que le gouvernement canadien se soit officiellement retiré en 1969, certains pensionnats poursuivirent leurs activités jusque dans les années 70 et 80. Pendant toute cette période, plusieurs milliers d'enfants autochtones âgés de 6 à 15 ans furent arrachés à leur foyer et leur collectivité, et placés dans des pensionnats. (Certaines collectivités ont vu tous leurs enfants enlevés de force, tandis que d'autres furent contraintes par de fausses promesses de laisser partir leurs enfants, croyant qu'ils recevraient une éducation et un traitement adéquats.) Bon nombre de ces enfants, outre la violence psychologique dont ils furent victimes en étant privés de leur famille et de leur culture, furent soumis à d'horribles sévices physiques et/ou sexuels de la part de certains adultes

...the system failed to give them the care and protection to which they were entitled.
THE GLOBE AND MAIL

...ce système, à tous les niveaux, ne leur ont pas donné les soins et la protection auxquels ils avaient droit.
LE GLOBE AND MAIL

chained, and severely whipped. They were also "punished" for speaking their language (needles through the tongue was one method used) or for attempting to speak to siblings of the opposite sex.

Very little time was actually spent on "education". Instead, the children were forced to put in long hours working, cleaning, and farming. Residential school pupils were given an average of two hours' instruction per day on academic subjects compared to the five hours per day non-Aboriginal pupils in the public schools received. Further, the quality of education was very low compared to that in non-Aboriginal schools. In 1930, only 3 of 100 Aboriginal students had advanced past Grade 6.

There were numerous reports about the appalling situation, including one in 1953 from the medical director at Indian Affairs, who reported that "the children ...are not being fed properly ...they are garbaging around in the barns for food that should only be fed to the barn occupants." The inordinately high death rate of Aboriginal pupils due to malnutrition and disease had already prompted at least one government school inspector of the time to report, following the examinations of hundreds of the children, that the residential school system was "a national crime."

Historical records show that Aboriginal parents and communities tried desperately to resist the system of education set up for their children; some lodged complaints and tried to fight it, others tried to hide their children. The children themselves regularly risked beatings to try running away. According to the historical record, Indian Affairs' Deputy Superintendent General Duncan Campbell Scott dismissed the pleas of frantic Aboriginal parents: "I am entirely adverse to having a formal investigation into

chargés de diriger les pensionnats. Les enfants qui tentèrent de s'échapper furent battus, enchaînés et fouettés vivement. Ils furent également « punis » d'avoir parlé leur langue (on leur piquait notamment la langue avec des aiguilles) ou d'avoir tenté de parler à leurs soeurs ou frères, n'ayant pas le droit de s'adresser à un autre enfant de leur famille de sexe opposé. On consacrait en fait très peu de temps à leur « éducation ». Les enfants étaient plutôt forcés à passer de nombreuses heures à travailler, à nettoyer et à cultiver les champs. Les élèves des pensionnats recevaient en moyenne deux heures de cours par jour comparativement aux élèves non autochtones des écoles publiques qui en recevaient cinq. En outre, la qualité de l'éducation était très inférieure à celle des écoles non autochtones. En 1930, seulement 3 élèves autochtones sur 100 furent promus à un degré supérieur à la sixième année. De nombreux rapports ont fait état de cette situation dramatique, dont un produit en 1953 par le directeur médical aux Affaires indiennes, qui déclara : [traduction libre] « Les enfants ne sont pas bien nourris… ils fouillent dans les poubelles des étables pour trouver de la nourriture qui ne devrait servir qu'à nourrir les animaux ». Le taux excessivement élevé de décès chez les élèves autochtones, dû à la malnutrition et à la maladie, avait déjà au moins incité un inspecteur des pensionnats, mandaté à l'époque par le gouvernement, à signaler, suite aux examens de centaines d'enfants, que le système des pensionnats constituait « un crime national ».

Les documents historiques révèlent que les parents et les collectivités autochtones tentèrent désespérément de s'opposer au système que l'on avait choisi pour éduquer leurs enfants. Certains portèrent plainte et tentèrent de l'abolir, d'autres

Two Métis children and an Inuit child (centre) at the Anglican-run All Saints Residential School, Shingle Point, Yukon, ca. 1930. *Photographer: J.F. Moran National Archives of Canada, PA-102086*

Deux enfants métis et une fillette inuite (au centre), au pensionnat anglican All Saints, Shingle Point (Yukon), v. 1930. *Photographe : J.F. Moran Archives nationales du Canada, PA-102086*

Staff and students outside the Red Deer Indian Industrial School, Red Deer, Alberta, ca. 1910. *United Church of Canada, Victoria University Archives, 93.049P/846N*

Personnel et élèves à l'extérieur de l'école industrielle indienne de Red Deer (Alberta), v. 1910. *Église unie du Canada, Archives de l' Université Victoria, 93.049P/846N*

these charges. It is not a new thing to receive complaints from Indians making various charges against the management of our schools…"

Today, the tragic history of the residential school system is more widely known. The Canadian Jewish Congress called the system "a national shame in Canadian history." And a 1998 Globe and Mail editorial said:

"…the residential schools did not confine themselves to a corrosive paternalism which tore apart Aboriginal families and devalued Native culture. Presumably because they viewed the children in their care as somehow less than human, authorities at all levels within the system failed to give them the care and protection to which they were entitled. Sexual and other forms of abuse took root and flourished. Unlike the cultural paternalism, this cannot be seen as an understandable but regrettable excess of the day. At no time has it been part of this country's values to allow the brutal exploitation of children in institutions charged with their care."

tentèrent de cacher leurs enfants. Les enfants eux-mêmes risquaient régulièrement de se faire battre en tentant de fuir. D'après ces documents, le sous-surintendent général des affaires indiennes, Duncan Campbell Scott, fit peu de cas des supplications des parents autochtones exaspérés : [traduction libre] « Je m'oppose entièrement à l'ouverture d'une enquête officielle portant sur ces accusations. Ce n'est pas la première fois que nous recevons des plaintes des Indiens qui portent toutes sortes d'accusations contre la gestion de nos écoles… »

Aujourd'hui, la tragique histoire du système des pensionnats a pris de l'ampleur. Le Congrès juif canadien qualifie ce système de « honte nationale dans l'histoire du Canada ». En 1998, l'auteur d'un éditorial du *Globe and Mail* écrivait :

[traduction libre] « …les pensionnats ne se sont pas limités à exercer un paternalisme corrosif qui a brisé les familles autochtones et dévalué leur culture. Probablement parce qu'ils considéraient les enfants dont ils avaient la charge comme des êtres inférieurs, les responsables de ce système, à tous les

niveaux, ne leur ont pas donné les soins et la protection auxquels ils avaient droit. La violence sexuelle et autres formes de sévices sont apparues et ont progressé. Contrairement au paternalisme culturel, ce traitement ne peut être perçu comme un geste excessif compréhensible mais regrettable. En aucun temps a-t-on considéré comme une valeur propre à ce pays de permettre l'exploitation brutale d'enfants placés dans des établissements ayant reçu la responsabilité d'en prendre soin. »

Près de 93 000 anciens élèves des pensionnats sont encore en vie et les répercussions intergénérationnelles de ce système violent sont inévitablement ressenties au sein des collectivités autochtones. (Les « répercussions intergénérationnelles » font tout simplement référence au fait que toute personne dont les parents ou parents proches ont survécu au système des pensionnats aurait également été profondément touchée. Les survivants n'ont pas seulement souffert du syndrome de stress post-traumatique, mais, ayant été enlevés à leur famille, ils n'ont aussi jamais eu l'occasion d'acquérir des compétences parentales.)

La guérison s'amorce : Bref historique de la Fondation autochtone de guérison

Les atrocités commises dans les pensionnats et imputées aux personnes qui les dirigeaient ont été signalées par la Commission royale sur les peuples autochtones (CRPA) en 1996, après quoi le gouvernement et les Églises concernées ont admis leur erreur et présenté des excuses. Le 7 janvier 1998, le gouvernement du Canada annonça la mise en oeuvre du plan d'action du Canada pour les questions autochtones, intitulé « Rassembler nos forces » et visant à « remédier à la situation et amorcer le processus de réconciliation et de renouveau. » Alors ministre des Affaires indiennes, Jane Stewart a déclaré :

« Le gouvernement reconnaît le rôle qu'il a joué dans l'instauration et l'administration de ces écoles. Particulièrement pour les personnes qui ont subi la tragédie des sévices physiques et sexuels …nous devons insister

There are approximately 93,000 former students alive today, and the intergenerational impacts of the brutal system are inevitably apparent in Aboriginal communities. ("Intergenerational impacts" simply refers to the fact that anyone whose parents or close relatives survived the residential school system would have been deeply affected as well. Survivors were not only suffering from post-traumatic stress syndrome, but, having been deprived of a family, had never had the opportunity to learn parenting skills.)

The Healing Begins: A Brief History of the Aboriginal Healing Foundation

The atrocities committed in, and inherent in, the residential school system, were reported on by the Royal Commission on Aboriginal Peoples (RCAP) in 1996, and as a result, the government and churches involved have issued acknowledgements and apologies. On January 7, 1998, the Government of Canada announced Canada's Aboriginal Action Plan—entitled

(Next page)
Baby George was an orphan who was brought to the Carcross Indian Residential School by Bishop Bompas. He died of tuberculosis in the Whitehorse hospital and was buried near Dawson Road, about a mile from town, date unknown.
Yukon Archives, T-18

(Page suivante)
Bébé George était un orphelin que l'évêque Bompas avait amené au pensionnat indien de Carcross. Il est mort de la tuberculose à l'hôpital de Whitehorse et a été enterré près du chemin Dawson, à environ un mille de la ville. Date inconnue.
Archives du Yukon, T-18

"Gathering Strength"—to "address the situation and begin the process of reconciliation and renewal." The then Minister of Indian Affairs, Jane Stewart, said:

> *"The Government of Canada acknowledges the role it played in the development and administration of these schools. Particularly to those individuals who experienced the tragedy of sexual and physical abuse... we wish to emphasize that what you experienced was not your fault and should never have happened."*

A cornerstone of the Aboriginal Action Plan was the Government's pledge of $350 million to support community-based healing initiatives for the Métis, Inuit and First Nations people affected, including intergenerational impacts. This amount is managed and distributed by the Aboriginal Healing Foundation (AHF) under the terms outlined in a funding agreement with the Government of Canada signed on March 31, 1998, in accordance with a joint decision by survivors, members of the healing community, the Congress of Aboriginal Peoples, the Inuit Tapirisat of Canada, the Métis National Council, the Assembly of First Nations and the Native Women's Association of Canada.

The Aboriginal Healing Foundation is an Aboriginal-run, not-for-profit national organization that is independent of both Government and

sur le fait que ce qui s'est passé n'était pas de leur faute et que cette situation n'aurait jamais dû se produire. »

L'une des pierres angulaires du plan d'action était l'aide financière de 350 millions de dollars que le gouvernement allouait au soutien des projets de guérison communautaire destinés aux Métis, aux Inuits et aux membres des Premières Nations touchés par les effets des abus subis dans les pensionnats, y compris les répercussions intergénérationnelles. Cette somme est gérée et distribuée par la Fondation autochtone de guérison (FADG) conformément aux dispositions d'un accord de financement signé le 31 mars 1998 avec le gouvernement du Canada, suite à une décision prise conjointement par les survivants, les membres de la collectivité de guérison, le Congrès des Peuples Autochtones, l'Inuit Tapirisat du Canada, le Ralliement national des Métis, l'Assemblée des Premières Nations et l'Association des femmes autochtones du Canada. Organisme national à but non lucratif, la Fondation autochtone de guérison est dirigée par des Autochtones et indépendante du gouvernement et des organismes autochtones qu'elle représente. En plus de financer des projets de guérison, la FADG aide les organismes autochtones à élaborer leurs propositions de projets, publie les résultats des projets et travaux de recherche financés, établit des partenariats et constitue des réseaux, et s'emploie à éduquer le

Mi'kmaq girls in sewing class at the Roman Catholic-run Shubenacadie Indian Residential School, Shubenacadie, Nova Scotia, 1929.
National Archives of Canada, PA-185530

Fillettes mi'kmaq suivant un cours de couture au pensionnat indien catholique de Shubenacadie (Nouvelle-Écosse), 1929.
Archives nationales du Canada, PA-185530

...we wish to emphasize that what you experienced was not your fault and should never have happened.
JANE STEWART,
MINISTER OF INDIAN AFFAIRS, 1998

...nous devons insister sur le fait que ce qui s' est passé n' était pas de leur faute et que cette situation n' aurait jamais dû se produire.
JANE STEWART,
MINISTRE DES AFFAIRES INDIENNES, 1998

the representative Aboriginal organizations. In addition to providing funds for healing initiatives, the AHF disseminates funded research and project results, builds partnerships and networks, and works to educate the public by promoting awareness of healing issues and needs. It also communicates healing information, organizes conferences and gatherings, and monitors all grant recipient's management of funds. All monies (principle and interest generated) for multi-year healing projects are expected to have been allocated by March 2004.

The Healing Continues:
A Brief History of the
Legacy of Hope Foundation

In recognition of the fact that any healing journey takes time and sustained effort, the Legacy of Hope Foundation (LHF) plans to carry forward the mission of the Aboriginal Healing Foundation by raising funds for healing programs, research and public awareness initiatives that go beyond the mandate of the Aboriginal Healing Foundation.

The mission statement of both the Legacy of Hope Foundation and the Aboriginal Healing Foundation is to encourage and support Aboriginal people in building and reinforcing sustainable healing processes that address the legacy of emotional, physical and sexual abuse experienced in the residential school system, including intergenerational impacts.

public et à le sensibiliser aux questions et besoins en matière de guérison. Elle transmet également des renseignements concernant la guérison, organise des conférences et des rassemblements, et surveille la gestion des fonds alloués à tous les récipiendaires de subventions. Toutes les sommes allouées aux projets de guérison pluriannuels doivent être distribuées d'ici mars 2004. (La FADG terminera son mandat de dix ans en mars 2008. Durant les quatre années suivant cette échéance, elle continuera de surveiller les projets et distribuera les fonds qui y sont alloués.)

La guérison se poursuit :
Bref historique de la Fondation
autochtone de l'espoir

Reconnaissant le fait que toute démarche de guérison nécessite du temps et un effort soutenu, la Fondation autochtone de l'espoir (FADE) prévoit poursuivre la mission de la Fondation autochtone de guérison en amassant des fonds qui serviront à financer les projets de guérison, les travaux de recherche et les activités de sensibilisation du public qui ne sont pas du ressort de la Fondation autochtone de guérison.

La Fondation autochtone de l'espoir et la Fondation autochtone de guérison se sont toutes deux donné pour mission d'appuyer les peuples autochtones et de les encourager à concevoir, développer et renforcer des démarches de guérison durables qui s'attaquent aux effets des abus psychologiques, physiques et sexuels subis dans les pensionnats, y compris les répercussions intergénérationnelles.

Eva and Tony died at the
Carcross Indian Residential
School and were buried in
the cemetery, Whitehorse,
Yukon, date unknown.
Yukon Archives, T-8

Eva et Tony sont décédés
au pensionnat indien de
Carcross et ont été enterrés
au cimetière, Whitehorse
(Yukon). Date inconnue.
Archives du Yukon, T-8

The role of the Legacy of Hope Foundation, however, differs from the role of the Aboriginal Healing Foundation: Although both support healing projects for Aboriginal people, promote awareness about the issues and the need for healing, and nurture a supportive public environment, the LHF will not provide funds directly but help provide resources and raise funds for healing initiatives.

La Fondation autochtone de l'espoir assume cependant un rôle différent de celui de la Fondation autochtone de guérison. Bien que ces organismes appuient tous deux les projets de guérison destinés aux peuples autochtones, sensibilisent le public aux questions et besoins de guérison et créent un climat de compréhension, la FADE n'accordera pas de subventions directes, mais contribuera à fournir des ressources et à amasser des fonds pour appuyer les projets de guérison.

Canada's first and only Indian Air Cadet Unit, Squadron No. 610, RCAC. The boys are from the Roman Catholic-run Williams Lake Indian Residential School, Williams Lake, British Columbia, date unknown.
Original silver gelatin print National Archives of Canada, PA-210715

La première et la seule unité de cadets de l'air indiens au Canada, l'escadron no 610, CARC. Ces garçons sont du pensionnat indien catholique de Williams Lake (Colombie-Britannique), date inconnue.
Épreuve sur gélatine-argent originale Archives nationales du Canada, PA-210715

Conclusion:

The Boards of both organizations are deeply committed to helping Aboriginal people heal and strengthen themselves, as well as to helping break the cycle of abuse and preventing future abuse. The Boards support and encourage the full participation of all Aboriginal people—Métis, Inuit and First Nations on or off reserve, status or non-status, men and women—in healing from the legacy of emotional, sexual and physical abuse in the residential school system, including intergenerational impacts. Healing may mean different things to different groups, and therefore the Boards support holistic ways of healing that will meet the diverse needs of Aboriginal groups. The healing has begun… and the healing must continue.

Conclusion :

Les conseils d'administration de ces organismes ont pris l'engagement ferme d'aider les peuples autochtones à se guérir et se renforcer eux-mêmes, ainsi qu'à briser le cycle de la violence et à empêcher que d'autres abus ne surviennent. Les conseils appuient et encouragent la participation de tous les peuples autochtones—qu'ils soient Métis, Inuits ou des Premières Nations, vivant à l'intérieur ou à l'extérieur des réserves, inscrits ou non inscrits —au processus de guérison visant à surmonter les effets des abus psychologiques, physiques et sexuels subis dans les pensionnats, y compris les répercussions intergénérationnelles. La guérison peut avoir différentes significations pour différents peuples et c'est pourquoi les conseils d'administration proposent une approche holistique à la guérison, qui répondra aux besoins divers des peuples autochtones. La guérison est amorcée… et elle se poursuivra.